小学生优秀课外读物

如何塑造出完美的自己

做优秀的自己

姜忠喆　竭宝峰◎主编

辽海出版社

责编:刘波

图书在版编目(CIP)数据

做优秀的自己/姜忠喆,竭宝峰编. - - 沈阳:辽海出版社,
2015.11

ISBN 978 - 7 - 5451 - 3586 - 2

Ⅰ.①做… Ⅱ.①姜… ②竭… Ⅲ.①成功心理 - 青
少年读物 Ⅳ.①B848.4 - 49

中国版本图书馆 CIP 数据核字(2015)第 282438 号

做 优 秀 的 自 己

姜忠喆,竭宝峰/主编

出版:辽海出版社	地址:沈阳市和平区十一纬路 25 号
印刷:北京华创印务有限公司	字数:480 千字
开本:880mm × 1230mm 1/32	印张:40
版次:2016 年 4 月第 1 版	印次:2016 年 4 月第 1 次印刷
书号:ISBN 978 - 7 - 5451 - 3586 - 2	定价:168.00 元(全 8 册)

如发现印装质量问题,影响阅读,请与印刷厂联系调换。

前　言

　　浓缩传统智慧精华的成长故事,可以使我们获得来自心灵的启示,让我们拥有人生的大智慧,甚至可能改变一个人的命运。一则好的故事可以教育我们知晓生存的意义;一则好的故事可以让我们以新的方式去体会大千世界、芸芸众生;一则好的故事可以改善与他人的关系,怡人性情。在面临挑战、遭受挫折时,读读这些故事,相信你能从中汲取力量;在烦恼、痛苦和失落时,读读这些故事,相信你能从中获取慰藉;读读这些故事,相信你能鼓起梦想的风帆。

　　为此,我们辑录成书——《做优秀的自己》,全书共八册,多以古代传统故事组合形式各自独立成篇,选取最有代表性的加以编排整理,在每一则故事的后面,我们都配有简短的点评,希望能给本书的读者一点点帮助。但我们深深知道,故事所包含的智慧远远不止这一点点,不同的人可能有不同的见解,仁者见仁,智者见智。我们只希望小小的点评可以起到抛砖引玉的作用,通过读者自己的思考融会贯通,以求得对自己全面的、系统的了解。切忌断章取义,只抓住一句话就作判断、下结论。我们相信读者能从故事中感知到更多的人生成长启示。

关于本书的辑录

1 感恩——我怀感恩的心

人，要常怀有一颗感恩的心，去看待我们正在经历的生命，悉心呵护。我们应该感恩出现在生命中的人、事、物，是他们让生命更有意义，显示出生命别样精彩。

2 宽仁——我学宽厚仁爱

人，活在世上就要学会宽仁，学会原谅别人，这是一种文明、一种胸怀，对人宽仁心胸宽广，帮助别人快乐自己。别人若是不小心犯了错误，而不是明知故犯，就要原谅；对朋友要热情，遇到需要帮助的人一定给予帮助，凡事往好的方面设想，多看到别人的优点，不贬低别人。

3 正直——我要正直诚信

正直是我们的一种优秀品德。正，就是说话做事正确，坚持正义去主持公道。这样的人就会得到别人的爱戴，这样的人就有了一身正气、一身正能量。

4 责任——我来管好自己

责任就是能担当，就是接受并负起职责。对于我们就是首先要管好自己、对自己负责，这样才能走向成功，相反的就会误人又害自己。这就需要我们有十足的信心和勇气好好用知识来提高自身的素质。

5 尊重——我会尊重别人

尊重是人与人之间和美相处的前提，尊重别人才能赢得别人对自己的尊重，尊重别人就是尊重自己。你对别人的尊重会在那个人心中留下美好的印像；那么，别人也会好好对待你。

6 勤奋——我也可以最棒

生命中能有所成就，靠的就是勤奋。一分耕耘一分收获，只有辛勤的付出才有喜悦的收获，不要以为自己比别人聪明就不需要勤奋学习，那样做只会使自己退步。只有坚持不懈的努力学习，我们才能成功。

7 自信——我能面对艰难

自信就是一种思想、一种感觉，就是对自己的肯定。拥有了自信就拥有了力量，我们可以时时暗示自己：我能行；我是最棒的；我不退缩不恐惧就一定能成功；我会更加优秀的。学会欣赏自己、表扬自己，找到自己的优点、长处来激励自己。

8 乐观——我想快乐无忧

人，在任何情况下都应该保持乐观的心态。乐观对待事物，我们的生活才可以无忧无虑，才能轻松愉悦。面对生活中的种种难处都要乐观面对，以平淡和乐的想法去处理，这样你的一切就会充满阳光。

目录

第一章
拥有主动积极的心态

对于大多数人来说,被动的生活已经变成了生活的一种行为无意识,我们像牛一样被各种各样的事情牵着鼻子向前走或原地转圈子,但由于被牵得太久了就忘了我们是被牵着鼻子在生活,有时候不被牵着还感觉不舒服。比如我们每天晚上的大部分时间都被电视机所消灭了,我们打开电视不断地换着频道,很少能看到实实在在的有意义的节目,一晚上的宝贵对间就这样被浪费掉了。

主动,要求我们拥有一种积极的心态,我们天天喊着要改变生活,要取得成功,但一个被动者是不可能改变自己命运的。当你发现自己陷在一种无能为力的生活境地时,你首先要有勇气走出这种生活,而走出这种生活又需要你放弃原来的既得利益和习惯。人最坏的习惯之一就是抱住已经拥有的东西不放,其实一个人只要舍得放下自己的那点小天地,就很容易走进宇宙的大世界。这个世界为你准备的精彩很多。同样都是人,有的人一辈子活得充满快乐、惊喜并有收获,而有的人却活得充满平庸、无聊和失败。

究其原因,主动拥抱生活和被动接受命运是这两种人的分水岭。

你惟一不应该有的"主动"是"主动地回避生活的精彩"。

无论在何种领域,凡成功者必有可取之处,善于借鉴成功者的经验,可以缩短自己摸索的过程,更快地走向成功。

——读书札记

闻鸡起舞

西晋时候,统治阶级政治腐败,国势衰弱,边防戒备不力,北方异族统治者趁虚而入,经常进犯边境之地,百姓生活在水深火热之中。

当时,有两个心怀大志的年轻人,一个叫祖逖,另一个叫刘琨。他们俩都性格豪放,不拘小节,是志同道合的好朋友。

面对昏暗衰弱的社会,他们感到无比的难过和愤慨,总希望有一天能为国家做点什么,让自己的国家富裕强大,让自己的乡亲安居乐业。

祖逖和刘琨当时都在司州(今河南洛阳一带)做地方小官,工作任务虽然繁重,可他们不肯虚度光阴。他们白天读书,钻研文韬武略;晚上谈论国家形势,交流学习心得;清晨又一道舞剑弄刀,苦练武功。两个人在长期的学习、生活中建立了友情厚谊,就像兄弟一样亲密,甚至连睡觉都同盖一条被子。

有一天晚上,两个人又在一块谈心,谈到朝政的腐败,谈到不少地方的饥荒,更谈到了关西匈奴等族起兵威胁北方边境的事,对祖国面临的危局十分忧心。这一夜,他们很晚才入睡。半夜时分,祖逖被一阵凄厉而悠长的叫声惊醒,他仔细一听,原来是荒野中雄鸡发出的"喔喔喔"的啼鸣声。根据当时的迷信说法,认为半夜鸡啼是不祥之兆。可是,祖逖此时此刻想到昨夜与刘琨长谈的事情,想到了国家民族的命运,不禁心潮涌动,思绪万千,这半夜鸡叫反而使他兴奋激昂。他伸脚踹了踹睡在身旁的刘琨，高声喊道："听！鸡叫起来了！这绝不是不祥的声音，而是叫我们振作起来的号角啊！"

刘琨惊醒，翻身下床，他跟着祖逖摸黑来到后院。两人寻到各自的兵器，一个挥刀，一个舞剑，双双操练起来。刀来剑往，左刺右砍，两人练着练着，不觉东方渐渐露出了清晨的曙光。

后来，中原陷落于外族，祖逖也带其家族南迁，尝尽了生活的艰辛，但恢复中原的决心一刻也没有变。公元313年，祖逖结集了一批力量，主动向朝廷请命北伐。他率领的部队打了一个又一个胜仗，恢复了大片江北国土，建立了旷世奇功。

人生箴言

岁寒，然后知松柏之后凋也。

——《论语·子罕》。

成长启示

只有到了天气寒冷时，才能看出松柏是最后凋零的。

乐羊子求学

古时候有个叫乐羊子的人，他的妻子知书达理、勤劳贤惠，她总是帮助乐羊子力求上进，做个有抱负的人。

妻子常常跟乐羊子说："你是一个七尺男子汉，要多学些有用的知识，将来好做大事，天天待在家里或者只在乡里四邻转悠一下，眼界开阔不了，见识也长不了，不会有什么出息的。不如带些盘缠，到远方去找名师学习本领来充实自己！"

乐羊子被说动了，就按照妻子的话收拾好行李出远门了。妻子虽然让他出外，但是心里是很依恋他的。自乐羊子走后，妻子一天比一天思念自己的丈夫，但她把这份惦念埋在心底，只是每天不停地织布干活来排遣这份心情，好让乐羊子安心学习，不牵挂自己和家里。

一天，妻子正在织布，忽然听见有人敲门。她过去开了门一看，站在面前的竟然是自己日夜想念的丈夫。她高兴极了，忙将丈夫迎进屋坐下。可是惊喜了没多久，妻子似乎想起了什么，疑惑地问："才刚刚过了一年，你怎么就回来了，是出了什么事吗？"乐羊子望着妻子笑答："没什么事，只是离别的日子太久了，我对你朝思暮想，实在忍受不了，就回来了。"

妻子听了这话很难过，半晌无语。突然，她抓起剪刀，快步走到织布机前"咔嚓咔嚓"地把织了一大半的布都剪断了。乐羊子吃了一惊，问道："你这是干什么？"妻子回答说："这匹布是我日日夜夜不停地织呀织呀,才一丝一缕地积累起来,一分一毫地变长起来的,最后我终于把它织成一整匹布了。现在我把它剪断了,白白浪费了宝贵的光阴,它也永远不能恢复为整匹布了。学习也是一样的道理,要一点点地积累知识才能成功。你现在半途而废,不愿坚持到底,不是和我剪断布一样可惜吗?"

乐羊子听了这话恍然大悟,意识到自己错了,不由得羞愧不已。他再次离开家去求学,整整过了七年才终于学成而返。

人生箴言

丈夫志四方,有事先悬弧,焉能钓三江,终年守菰蒲。

——顾炎武《丈夫》。

成长启示

男子汉大丈夫应志在四方,天下战事若起,就应挺身而出,携带武器出战。怎么能垂钓于三江,终年与水草相守呢?

大禹治水

古时候,中原地区常年下大雨、发洪水,老百姓生活很艰辛。舜帝决定派一个能人去治水,可是派谁去担当这一重任呢?于是舜召开会议,想征询百官意见。

一位眉须尽白的老臣说:"治水还得派禹去!他是当今大贤,干事踏实,又有头脑。"另一位大臣却说:"可是禹是鲧的儿子。当年先帝尧派鲧去治水,结果失败了,现在又怎能派他儿子去呢?"那位老臣看着舜帝,坚定地说:"禹虽是鲧的儿子,可他的智能却远在鲧之上。我们不能因为鲧的错误就不任用禹呀!"舜帝认为老臣讲得在理,就正式命大禹治水。

禹对百姓们遭受的灾难深表同情,早就想治理水患。当禹接到治水的任命时,感到十分振奋。于是,他立即告别新婚的妻子,带着助手伯益、后稷等人,跋山涉水,风餐露宿,走遍了中原大地的山山水水,实地了解水患实情。大禹还在实地调查的基础上,与后稷、伯益等人制定周密的治水计划,并且一改鲧以堵阻水的旧方法,采取疏导引水的新方法。

大禹治水非常勤奋。有一次,大禹带着他的治水队伍从家门口经过,伯益劝他说:"回家看看吧!你自从新婚离家治水以来,已经有好多年没回家了!"大禹坚定地说:"水患未除,无以为家!"就这样,为了治理祖国的山河,大禹先后三过家门而不入。大禹的精神激励着治水大军的每一个成员,大家都尽心竭力治理水患,治水的进度大大加快了。

有一年,大禹正在龙门山一带治理黄河。他看着高耸入云的龙门山挡住了黄河水道,心急如焚,他整天都在想着如何让黄河的水顺利流过龙门山,连头发也急白了!后来,他终于想出了个好主意!在龙门山中开一个八十步宽的口子,将水引出去。可这是一项浩大的工程,禹动员了当地所有老百姓全力开挖龙门山。为了尽早打开龙门山水道,大禹亲自参加劈山的劳动。

传说他在工地上日夜不停地干活,经常变成一头大黑熊,用爪子挖山。大禹的妻子涂山氏怕他累坏了身子,就准备了些可口的饭菜送到工地上来。涂山氏很远就听到深山中传来大禹开山的响声,待走近一看,只见是一头大黑熊正在奋力劈山。涂山氏吓得惊叫一声,扔下饭菜,扭头就跑。大禹听见妻子的叫声,赶忙追来。妻子在前面没命地跑,听着身后越追越近的脚步声,情急之下,变成了一尊石像。

望着妻子石像,大禹失声痛哭说:"苍天啊!要是你还能看到我做了些对百姓有益的事,就请赐给我一个儿子吧!"说来也怪,石像轰地一声开了个大口子,从里面蹦出了一个小男孩,这就是启。禹失去了爱妻,可龙门山终于被打通了,黄河之水从此直泻东下。

大禹治水前后十三年,正是在他的努力下,咆哮的河水失去了往日的凶悍,驯服平缓地向东流去。昔日被淹没的山陵露出了青绿,昔日泽国变成了粮仓。老百姓们都返回家乡安居乐业,重新过上了幸福生活。

人生箴言

虽无飞,飞必冲天;虽无鸣,鸣必惊人。

——《韩非子·喻老》。

成长启示

不飞则已,飞则直冲云霄;不鸣则已,鸣则一鸣惊人。

精卫填海

太阳神炎帝有一个小女儿,名叫女娃,长得非常聪明可爱,是他最钟爱的女儿。炎帝不仅管太阳,还管五谷和药材。他事情很多,每天一大早就要去东海,指挥太阳升起,直到太阳西沉才回家。

炎帝不在家时,女娃便独自玩耍,她非常想让父亲带她出去,到东海太阳升起的地方去看一看。可是父亲忙于公事,总是不带她去。这一天,女娃实在无聊之极,姐姐妹妹也都不在家,于是她便一个人驾着一只小船向东海太阳升起的地方划去。

不幸的是,半路上刮起了风暴,风涛掀卷起来,涌动着排天的巨浪。眨眼间,像山一样高的波涛,奔腾呼啸着从四面合拢,女娃挣扎着,努力不让小船被海水吞没,可是狰狞凶狠的巨浪还是打翻了女娃的小船,女娃被无情恐怖的大海吞没了,永远回不来了。炎帝痛失爱女,心中无比悲痛,但他却不能用医药来使她死而复生,甚至无法为她复仇,也只有独自神伤嗟叹了。

女娃死后,她的精魂依然不肯散去,最后化作了一只小鸟,花脑袋,白嘴壳,红脚爪,发出"精卫、精卫"的悲鸣,所以,人们叫她"精卫"。

精卫痛恨无情的大海夺去了自己年轻的生命,她要报仇雪恨。因此,她一刻不停地从她住的山上衔一粒小石子,或是一段小树枝,展翅高飞,一直飞到东海。她在波涛汹涌的海面上回翔悲鸣着,把石子树枝投下去,想把大海填平。

大海奔腾着,咆哮着,狂傲地嘲笑她:"笨鸟儿,算了吧,我是世间最强大的力量,谁也打不败我的! 你这工作就算干一百万年,也休想把我填平。"

精卫在高空答复大海:"哪怕是干上一千万年,一万万年,干到宇宙的尽头,世界的末日,我也要把你填平!"

"你为什么这么恨我呢?"

"因为你夺去了我年轻的生命,你将来还会夺去许多年轻无辜的生命。我要永无休止地干下去,总有一天我会把你填成平地。"

精卫鸟迎着长风,借助长风的力量;迎着流云,借助流云的速度;迎着暴雨,借助暴雨的冲击;迎着雷霆,借助雷霆的怒吼,日日穿行在大山和东海之间,不将大海填平誓不罢休! 她向大海投去愤怒,投去仇恨,也投去了生命和青春!

后来,精卫和海燕结成了夫妻,生了许多小鸟,雌的像精卫,雄的像海燕。小精卫和她们的妈妈一样,日日衔石填海。直到今天,她们还在做着这种工作。

人们同情精卫,钦佩精卫,把它叫做"冤禽"、"誓鸟"、"志鸟"、"帝女雀",并在东海边上立了个古迹,叫作"精卫誓水处"。

人生箴言

石可破也,而不可夺坚;丹可磨也,而不可夺赤。

——《吕氏春秋·诚廉》。

🕊 **成长启示**

> 岩石,可以把它砸得粉碎,但其坚硬的本质却不可改变;朱砂也可以磨成粉末,但其红色的本性却不可改变。

舍身空门

周朝末年,中原地区战乱频繁,民不聊生。而与中原相隔一座须弥山的西域各邦却在兴林国的领导下,一片生机勃勃。

当时兴林国的国王名叫婆迦,年号妙庄,皇后名叫宝德,两人都非常贤明。他们只有两个女儿,却没有儿子,眼看妙庄王已年近六旬,没有继承人,心中非常忧闷。一天晚上,宝德王后做了一个奇怪的梦,梦见一轮旭日掉到自己怀里。自此之后,王后便有了身孕。怀孕期间,王后只要一吃荤腥就会呕吐,哪怕平日自己喜欢吃的荤菜也不能沾一点。

妙庄王十八年,宝德王后诞下一名小公主,取名妙善。妙善公主自出生便吃素,从来不进荤腥,而且她非常聪明,国王和王后都很宠爱她。六岁的时候,宝德王后去世了,妙善非常难过,心想:"母后生育、抚养自己,受尽千般苦楚,自己还来不及报答,她就去世了,这深重的罪孽恐怕只有潜心修佛才能赎干净。"于是从此以后,妙善公主便开始修行,希望将来能救治世间一切的苦难。

妙善公主十六岁的时候,她的修为已经相当不错了。但是,妙善的两个姐姐都已经出嫁,她自己也到了该出嫁的年龄了,于是妙庄王便提出给妙善公主选驸马。谁知道妙善公主坚决不从,一心想要出家修行,立志终身不嫁。妙庄王非常生气,下令将妙善公主赶到御花园作杂役,每天浇花除草,擦桌子扫地。妙善公主二话不说,当天就搬进去了,陪她一起的还有她的保姆。两人在御花园中从早到晚干活,公主毕竟从小娇生惯养,不几天就累得腰酸背疼,但是她从来不喊苦。

过了一段时间,妙庄王过生日,妙善公主前去为父王祝寿。妙庄王问她可曾回心转意,可是妙善仍是坚持自己的理想,不愿出嫁,情愿出家。妙庄王气得七窍生烟,又把她赶到厨房去干粗活。每天要把十七个石缸的水挑满,劈两担柴火,一日三餐也都要她做,并且每天都派一个叫永莲的宫女前去监督。妙善仍是毫无怨言,认认真真干好每件事。白天累了一天,晚上还要一边编草鞋,一边念诵佛经,直到夜深才在草堆上睡觉,第二天一大早又起来干活。这样日复一日劳作,整整干了一年,妙善向佛之心不但没有丝毫动摇,道行反而加深了。

妙庄王没办法,又去把她两个姐姐叫回来,让她们帮忙劝一下她们的妹妹。可是两个姐姐看得出妙善心志已决,反而劝她们的父王,顺从妹妹的心愿,让她出家修行。妙庄王长叹道:"孤王本来是想让她受点苦,放弃出家修行的打算,招一个驸马共享荣华富贵,谁知她意志如此坚定,也罢!就让她出家修行吧!"说完又忍不住老泪纵横。

第二天,妙庄王下令把城外耶摩山下的金光明寺修茸一新。

妙善公主辞别父王和姐姐,带着保姆和永莲正式剃度出家,成为一名佛门弟子。

人生箴言

> 壮士不死即已,死即举大名耳,王侯将相宁有种乎?
> ——司马迁《史记·陈涉世家》。

成长启示

壮士不死便罢,死就要为图谋国家大事而死,王侯将相难道是天生的吗?

鉴真矢志东渡

隋唐时期是中日文化交流的高潮期,两国各自涌现出一大批文化传播的使者,高僧鉴真便是其中最杰出的人物之一。

鉴真是扬州人,鉴真的父亲是个虔诚的佛教徒,也许是受父亲的影响,14 岁那年他就出家当了和尚。

鉴真是个勤奋好学的人,他遍投名师,潜心钻研佛教经典。他还远游到长安、洛阳求学。经过多年努力,鉴真成为一名佛学造诣很深的高僧。

那时,日本佛教界存在一些混乱状况。许多人不履行一定的手续,就私自剃去头发,穿上僧衣。为了建立像唐朝那样严格而正规的受戒制度,日本政府派人到唐朝来延请高僧鉴真。来人向鉴真表达了想请他东渡日本宣传佛法的意思,鉴真不顾自己年老体弱,爽快地答应了。

当时海防很严,政府不允许国人随意出海。于是鉴真便秘密地进行准备,对人说是到天台山国清寺供奉,因陆路难行才改走水道的。可是,就在出发的前夕,他的出海计划被官府知道了。这样,第一次东渡便失败了。

过了一些时候,鉴真托人买了一艘大船,雇佣了几十名水手,悄悄地从扬州出发,不料船刚到长江口,就遇到巨浪袭击,船也损坏了,第二次东渡又失败了。

不久,船修好了,鉴真领着弟子们再度出海东渡。但是刚行至舟山海面,船只触礁沉没。鉴真等人虽游上了岸,保住了性命,但第三次东渡之事自然化为泡影。

随后的第四次东渡也因途中船只被官府查扣而未能成行。

经过精心筹备,鉴真再度从扬州崇福寺扬帆出海,可是再次遭遇风暴,船只漂流到海南岛南部,第五次东渡又失败了。这一次失败对鉴真打击尤为沉重。他的好友日僧荣睿和得意弟子祥彦先后逝去,自己在颠沛之中双目失明。尽管如此,鉴真东渡的决心丝毫没有动摇。

公元753年,双目失明的鉴真毅然决定再次东渡。鉴真在弟子们的护送下离开扬州龙兴寺,并沿江而下到苏州,乘坐日方遣唐使团的船只赴日。随鉴真同行的还有二十四位中外知名僧尼和居士。

一个多月后,鉴真一行终于平安登上日本海岸。日本天皇得知高僧鉴真到来,派专使迎至京都,并将鉴真一行赐居于东大寺。

鉴真六次东渡,历经磨难,终获成功。他随船带去了大批佛教典籍和大量佛事用品,到日本后,又积极宣传佛法和戒律,为弘扬佛学文化和中日文化交流作出了突出贡献。

人生箴言

临渊羡鱼,不如退而结网。

——《汉书·董仲舒传》。

成长启示

> 站在深潭边上希望得到里面的鱼,不如回去编织渔网。

李时珍苦寻白花蛇

说起李时珍,人们会立刻联想到《本草纲目》。其实,除《本草纲目》外,李时珍还著有《白花蛇传》等许多其他医学著作。李时珍把他的毕生精力都献给了祖国医学事业。

李时珍出生在一个世代行医的家庭。小时候,看到父亲能给人解除病痛,他打心眼里佩服,立志将来也要当一个名医。后来,李时珍就跟着父亲四处行医。

那时候,山里人生产劳动挺辛苦,腰肌劳损、跌打损伤是常见病,父亲经常给这类病人泡制一种用白花蛇作主料的药酒。李时珍对此特别好奇,他想:小小白花蛇为何有如此大的功效?

为了揭开这个谜,李时珍决定到大山区去,亲眼看看生活在野外的白花蛇。李时珍的想法遭到家里人的一致反对,他们说:"白花蛇生长在深山湿地,极难发现,况且其毒无比,弄不好就要丢性命!"李时珍深知探寻白花蛇无异于与死神打交道,但他还是在一个初夏的早晨踏着晨露向深山进发了。

李时珍听人说龙峰山一带山高林密,山谷间又多湿地,是白花蛇的理想栖息地。李时珍来到龙峰山,在山路上他苦苦等了整整两天,才等到一个捕蛇人。捕蛇人对李时珍说:"我家世代捕蛇,没有一个得到善终,我才三十几岁,可也几次险伤蛇口!你还是回家吧!"李时珍告诉他,为了减少天下人痛苦,就是死于蛇口也在所不惜。捕蛇人被李时珍执著的精神所感动,终于同意带他找蛇。

李时珍跟着捕蛇人一边找蛇,一边向他了解白花蛇的生活习性、特征和毒性。捕蛇人告诉他,白花蛇头呈倒三角形,身上有方格形图案,但蛇身颜色灰暗,酷似泥土,所以很难被发现。白花蛇毒性极大,人若被咬,顷刻便会毒遍全身而亡。

一连好几天,他们连白花蛇影子也没见到。可是,李时珍并不气馁,他下定决心:不亲眼见到白花蛇,誓不回还。

一天下午,李时珍与捕蛇人在龙峰山山腰荆棘丛中找蛇。盛夏时节,闷热难当,两人累得汗流浃背。此时,四周云层渐渐聚拢,一场暴雨就在眼前,捕蛇人便催促李时珍往回赶路。捕蛇人在前,李时珍在后,两人走了一程,突然听见李时珍"哎哟"叫了一声。捕蛇人回头一看,大吃一惊。一条白花蛇正死死缠住李时珍的左腿,蛇头被踩在脚底!捕蛇人既兴奋,又惊恐,赶紧奔向李时珍,两人费了好大劲才将这条白花蛇抓进蛇笼。捕蛇人惊魂未定地对李时珍说:"要不是你碰巧踩在蛇头上,今天你早就没命了!"

这次出门寻白花蛇,前后三十多天,李时珍亲自考察了白花蛇的栖息环境,亲手抓住了野生的白花蛇,又走访了好几位捕蛇人,掌握了大量的第一手资料,为他完成《白花蛇传》奠定了坚实基础。

人生箴言

> 为世忧乐者,君子之志也;不为世忧乐者,小人之志也。
>
> ——荀悦《申鉴·杂言上》。

成长启示

为天下人的忧愁而忧愁,为天下人的快乐而快乐,这是君子的志向;不为天下人的忧愁而忧愁,不为天下人的快乐而快乐,这是小人的志向。

李时珍潜心钻研医术

李时珍是我国古代最为著名的医学家之一,他的《本草纲目》被誉为"中国古代的百科全书"。

李时珍出生于湖北蕲州一个医生世家,从小就对医药很感兴趣,并从祖父和父亲那里学到了许多医学知识。十四岁时,李时珍中秀才,后来三次参加举人考试全都落榜,于是他放弃科举,以医生为终身职业。

在长期行医过程中,李时珍发现古医书里有许多药物品种记载不全,甚至有些药性、药效的记载还有不少错误。为了对病人负责,为了给子孙后代留下详细而严谨的医药知识,李时珍决定撰写一部新的医药书。

于是,李时珍一边给人治病,一边钻研医术。他阅读并搜集整理了大量前人留下的资料,从中汲取医药经验,对各种药物的效用,李时珍更是亲自予以确认。他不怕艰险下到黑暗的炼窑,不畏生死攀登悬崖绝壁,不惜前往炼铅的闷热作坊,实地研究这些珍贵的资料。

有一次,李时珍得到一种叫曼陀罗的草药,这是一种专用于麻醉病人、减轻患者痛楚的药物,李时珍不好拿病人做试验,就亲自吞服曼陀罗。曼陀罗强烈的药物刺激性使李时珍顿时精神恍惚,失去知觉,幸好最终得救生还。

李时珍广泛深入民间,行走于荒山草原,风餐露宿,白天翻山采药、治病救人,晚上便长伴枯灯,将搜集来的一个个药方筛选整理,依次记录在案。这期间,有过困苦挨饿,有过被猛兽追袭,更有过人们的讥笑嘲讽,李时珍都一步步咬牙挺了过来。他三十年如一日,终于完成了著名的医药著作《本草纲目》,书中共记载了1892种草药,一万多个药方,为我国医药科学作出了巨大贡献,同时也令世人大为震惊。

有句俗语说得好:"有志不在年高,无志空长百岁。"一个人要想成就一番事业,就应该有一个明确的奋斗目标。一个志向明确的人即使面临巨大的挑战,也会全力以赴,征服奋斗途中的困难,李时珍的事例证实了这一点。

人生箴言

> 非淡泊无以明志,非宁静无以致远。
>
> ——诸葛亮《诫子书》。

成长启示

不恬淡寡欲就不能实现远大的志向,不排除杂念就无法深谋远虑。

冯如立志造飞机

1901 年 9 月 23 日,在《加利福尼亚美国人民报》上,出现了这样一条醒目的标题:《中国人的航空技术超过西方》,这则报道令欧美国家大为震惊。这个为中华民族争光的人,就是近代中国第一位飞机制造家、杰出的全能飞行家冯如。

冯如,广东恩平人,幼年家贫,只读过几年书。他从小喜欢摆弄东西,常常和小伙伴一起用火柴盒作轮船、机车模型,做得非常逼真。

十二岁那年,因家乡生活困难,冯如告别父母和祖国,到美国去做工。他白天做工晚上刻苦学习外语和机械知识。经过十年的苦学,他掌握了三十多种机械制造方法,还发明了抽水机、打桩机。他制造的无线电发报机和电码灵敏准确,尤为出色。

1904 年,为了争夺中国东北三省,日俄之间爆发了战争,祖国人民备受蹂躏。冯如沉痛地向伙伴们表示:"日俄战争大不利于中国。当此竞争时代,飞机为军事上万不可缺少之物。"发誓要研制飞机,"苟无成,毋宁死。"从此,冯如便立志献身于祖国的航空事业。

1908 年,在美国爱国华侨的帮助下,他制造出了第一架飞机,但试飞失败了。不久,第二架飞机又造出来了,可是只飞了几丈高就摔了下来。冯如侥幸死里逃生,但他毫不动摇,愈挫愈坚。他继续大量收集和翻阅飞机制造资料,冥思苦想改进之法。他从老鹰在空中翱翔的动作中得到启示并用于飞机制造。1909 年 9 月 21 日,冯如制造的第三架飞机试飞成功,揭开了中国航空史上的第一页! 23 日,美国报纸报道了令欧美震惊的这个消息,旅美侨胞们奔走相告。正在美国从事革命活动的孙中山先生也亲临试飞场地参观,他拉着冯如的手高兴地说:"吾国大有人矣!"

冯如的成功,大大鼓舞了关心祖国航空事业的人们。他倡议创办中国第一家飞机制造公司——广东制造机器公司时,旅美华侨踊跃认股。

1919 年 10 月,冯如带着自己制造的性能优良的飞机参加国际飞行协会举办的飞机比赛,获得第一名,为中华民族赢得了荣誉。

冯如的知名度越来越高,美国人想用重金招聘冯如任飞行技术教练,传授专业技术,遭其断然拒绝。1911 年,冯如怀着一颗赤子之心,带着两架自制的飞机和制造飞机的机器,回到日夜思念的祖国。4 月 8 日,他在广州做飞行表演。中国人制造、驾驶的飞机飞上了蓝天,是历史上从来没有过的,飞机场上欢声雷动。1911 年,广东革命军任命冯如为随军飞机长。

1912 年 8 月 25 日,为了普及航空技术,唤起各界重视,冯如在广州做第二次飞行表演,观者塞途,掌声不绝。正在这时,飞机凌空而上,因操纵用力过猛,两足浮动,失去平衡,飞机不幸坠落,冯如身受重伤。弥留之际,他嘱咐助手们说:

"你们千万不要因这次事故而丧失信心,要知道,失败和牺牲是难免的。"

冯如牺牲时,只有二十九岁。为了永远纪念这位卓越的航空家,广东革命军政府决定在他殒命处建立纪念碑,并将其安葬在黄花岗七十二烈士墓左侧,让人们永远祭奠这位爱国科学家的忠魂。

人生箴言

丈夫志四海,万里犹比邻。

——曹植《赠白马王彪》。

成长启示

有抱负的人志向在天下,朋友之间即使相距一万里,也能彼此心意相通,像离得很近的邻居一样。

冯梦龙立志成大家

读过小说"三言"《喻世明言》、《警世通言》、《醒世恒言》的人，一定会记得作者冯梦龙的名字。

冯梦龙，长州（今江苏苏州）人。他自幼受过良好的教育，年轻时就曾编著过《春秋四库》、《四书指月》等解释四书五经的书籍，可奇怪的是他多次参加科举考试却都名落孙山。

考场失意，使冯梦龙对当时应考的"八股文"深恶痛绝。这种"八股文"以四书五经中的一句话为题，要求读书人按照死板的格式，做毫无生气的概念文章。同时，冯梦龙对通过科举考证步入仕途也完全失去了信心。从此，他破罐子破摔，经常到酒楼歌肆消愁解闷，打发时光。后来，他狂热地爱上了一名歌妓，可是那个歌妓却嫁给了一个有钱有势的人。一怒之下，他便绝迹青楼。

冯梦龙认真反省了自己的过去，觉得再也不能这样虚度年华，大丈夫应当有所作为。于是，他结束了浪荡生活，发奋读书。他渐渐地对反映市民生活的通俗文学作品表现出了极为浓厚的兴趣，以多种笔名发表了大量的通俗小说作品。他把宋元以来的讲唱文学的口头创作阶段推进到作家的书写文学阶段，这在我国古代文学史上占有十分重要的地位。

冯梦龙一面自行创作，一面将前人流传下来的作品加以删改修饰。"三言"中有很多作品人物形象鲜明，情节曲折，基本上反映了明代封建地主阶级逐渐衰落、市民阶层逐渐兴起的时代风貌。

做/优秀的/自己

其中,有些篇目如《玉堂春落难逢夫》、《金玉奴棒打薄情郎》等都改编成了戏剧,至今长演不衰。

有意思的是,冯梦龙五十七岁那年,抱着试试看的心情,又参加了一次科举考试,竟然取了贡生,做了官。六十五岁时,他弃官回乡,重操写作旧业。七十一岁时,他还编写了《甲申纪事》一书。

人生箴言

吞舟之鱼,不游枝流,鸿鹄高飞,不集污池。

——《列子·杨朱》。

成长启示

能够吞船的大鱼,不会游在江河的支流里;翱翔于长空的鸿鹄,不会憩栖于肮脏的水池旁。

志在必得

汉武帝元朔六年(公元前123年),大将军卫青按照皇帝的旨意,提拔霍去病为票姚校尉。有一次,霍去病率领八百轻骑兵奔袭数百里之外的匈奴军队,结果以少胜多,杀获匈奴许多人。汉武帝于是重重地赏赐他,以二千五百户封霍去病为冠军侯。

元狩二年(公元前121年)春天,霍去病又拜为骠骑将军,他率领万余名骑兵从陇西出击,差一点就捉住了单于的儿子。接着转战六天,越过焉支山千余里,苦战于皋兰山下,杀死匈奴折兰王,斩获卢侯王首级,活捉浑邪王的儿子和相国、都尉。在霍去病的大力打击之下,匈奴的军队人数减少了十分之七。汉武帝大为振奋,又给霍去病增加二千二百户封地。这一年的夏天,霍去病兵出祁连山,捕获和斩杀匈奴兵甚多,活捉单于单桓、酋涂王,以及王母、单于阏氏、王子、相国、将军、当户、都尉等等。汉武帝于是再给霍去病增加五千四百户封地。接着,霍去病又迫使匈奴浑邪王投降,匈奴兵降者甚多,号称十万。汉武帝又给霍去病增加一千七百户封地。元狩四年(公元前119年),汉武帝命令大将军卫青、骠骑将军霍去病各率五万骑兵,出击匈奴。结果,霍去病比卫青取得了更大的战功,汉武帝给霍去病增加了五千八百户封地,并封他为大司马。

霍去病为人少言寡语,富有勇气和胆略,敢做敢为,遇事一往无前。有一次,汉武帝想教他吴起孙武兵法,霍去病却回答说:"学习军事,考虑方法和策略就行了,不必学习古人的兵法。"汉武帝给他修好了宅第,让他去看看,霍去病回答说:"匈奴一天不灭,我就一天没有安家的理由啊。"

人生箴言

刑天舞干戚,猛志固常在。

——陶潜《读山海经十三首》。

成长启示

刑天虽然被砍下了头,但他的壮志依然存在,依然手握盾牌和板斧挥舞不止。

一人立志,万夫莫夺

唐朝天宝年间,福州人勤自励与同县林不将女儿潮音结为娃娃亲。二人青梅竹马,两小无猜。勤自励十二岁以后便不读书,使枪抡棒,到十六岁已身长力大,猿臂善射,武艺过人。这日他独自上山打猎,得了些野味,行至大树坡,见一头大虎于陷阱中吼啸。它见勤自励走来,竟俯首弭耳,口中呜呜作声,似有乞怜之意。勤自励一时动了恻隐之心,说道:"我今日放你,但你今后切莫害人。"那虎闻言点头,恰如懂话似的。自励破阱,虎狂跳而去。

这年安南作乱,朝廷募军,勤自励瞒过爹妈,投军而去。勤公、勤婆事后得知,心想:安南万里之遥,刀剑无情,凶多吉少,老两口晚景谁人侍奉,哀哀哭将起来。林不将知道了也无可奈何。勤自励一去三年,杳无音信,林母对丈夫说:"勤郎不知死活,潮音年纪也不小了,难道教她活活做孤孀不成?"林不将觉得有理,便来和勤公商量,双方约定:再等三年,若无消息,任从潮音改嫁。光阴似箭,三年转瞬即逝,林母便来向潮音说:"勤郎迄无消息,我们已等过六年了,你只是未过门媳妇,守节是虚名儿,我让你爸另去寻媒,莫错过青春。"潮音哭道:"勤郎在,我是他妻,勤郎死,我是他家妇,我岂能生二心? 休再逼我改嫁,不然宁甘一死。"正是"一人立志,万夫莫夺",林公、林妈拿她无法。

匆匆又是四年,潮音素衣素食,竟如守孝一般。林公与林母商量:"十年过去了,女儿已二十六岁,说起议婚便要寻死,只得秘密地择了人家，在我哥哥家受聘，到临婚时，只说内侄做亲，哄她上轿往贺，半路上鼓乐送往男家，不怕她不从。"于是依计而行。这日把潮音骗上了轿，半路会合鼓乐队，簇拥便走，那管潮音啼哭？谁知走到大树坡前，忽地刮起一阵大风，一只白额虎跳将出来，竟衔新娘而去。恰巧这一日，勤自励万里回来。他已做到都指挥使，因为安禄山叛乱，主帅哥舒翰弃关投降，勤自励哪肯投敌？于是孤身仗剑逃回故乡，日夜蹒行。行至离家不远处，夜色朦胧，一只大虎衔一少女竟投自励足边，扶起视之，正是潮音。方知是老虎感恩图报，使其夫妇竟得团圆。正是："多少负心无义汉，不如老虎有情亲。"

人生箴言

纵横计不就，慷慨志犹存。

——魏徵《述怀》。

成长启示

虽然所献计策未有成果，但雄心壮志依然在胸。

始终不渝的谢安

谢安，是东晋时的一位政治家。他年轻时，曾涉入官场，但因目睹官场的种种丑恶现实后强烈不满，便隐居在会稽郡上虞县附近的东山，游山玩水，不关心朝政。到了四十多岁时，他东山再起，又入朝做官，孝武帝时官至宰相。当时，前秦强盛，攻破梁、益、樊、邓等地(今陕西、四川、鄂西北)，谢安任其弟谢石和侄子谢玄为将领，积极加强防御。太元八年(公元383年)，前秦军南下，大震江东。谢安又让谢石、谢玄等力拒，获得淝水之战的胜利，并以都督十五州军事率军收复洛阳及青、兖、徐、豫各州。

淝水之战胜利以后，东晋统治集团内部互相倾轧，你争我夺，会稽王司马道子执政，极力排挤谢氏。面对这种情况，谢安更觉仕途险恶，所以虽然在朝廷身居要职，但退隐东山之志始终没有改变，并且经常在言行上表现出来。公元385年，谢安从广陵回京，不久病死，时年六十五岁。

人生箴言

即今江海一归客，他日云霄万里人。

——高适《送桂阳孝廉》。

成长启示

现在虽然是回归故乡的普通人,但来日便会成为超群出世的非凡之人。

重耳的四方之志

春秋时,晋公子重耳逃亡到齐国,齐桓公很优待他,给他吃好的、住好的,还为他娶了妻子,即姜氏。这时的重耳,仅驾车的马就有八十多匹,生活过得很舒服,也就不再作远大的打算了。但重耳的随从人员却不满意他如此没有志气。一天,他们偷偷来到桑园商议用什么方法使重耳离开齐国。不料姜氏的一个女仆正在采桑叶,偷听了他们的话,赶紧跑去报告给姜氏。姜氏听了,当即杀死女仆,然后对重耳说:"你有远行四方的大志,偷听到消息的女仆,已经被我杀掉了。"

当时重耳非常惊讶,他说:"我并没有打算离开你,也没有打算离开齐国啊!"姜氏说:"你应该去游说各国,在各国的帮助下回到晋国。须知贪图安逸,生活圈子狭小只会害你的。"但是重耳仍然不听她的劝告。姜氏就和狐偃(重耳的舅舅,随同重耳一起出逃的人之一)想出了一个计策,灌醉重耳,趁他昏睡时,把他抬上车子,立刻离开齐国。等他酒醒来,早已赶了好多路程了。

人生箴言

> 古之立大事者,不惟有超世之才。
>
> ——苏轼《兄错论》。

成长启示

很多有志向的人最终功成名就,并不是因为他们的才能比别人高,而是具有坚定的毅力。

曹操五十立大志

三国时,军阀袁绍以十万精兵称雄北方,对只有四万兵卒的曹操不屑一顾。他骄纵蛮横,致使谋士许攸愤而投奔曹操,献出火烧袁军粮草之计,从而发生了中国历史上著名的以少胜多的"官渡之战",袁绍也在不久之后暴病身亡。袁绍死后,曹操最大的威胁消除了。

曹操带兵凯旋,一路上,将士们都很兴奋,认为袁军败退,北方已定,大家可以弃甲归田,过安稳日子了。但是大胜而归的曹操却郁郁寡欢,满腹忧思。

黄昏时分,曹军来到一高坡前,曹操策马上坡,远眺着苍茫暮色和万丈彩霞,不禁吟道:

> 岁月悠悠,老年已将来临,
> 转战南北,何时能回故乡?
> 天下没有统一,我的壮志未酬;
> 战马不卸下鞍,铠甲不离开肩。

谋士郭嘉紧随其后,默默无言。可是不远处却传来战士们悠扬的歌声:

> 离家数载无音信,姑娘等得烦了心;
> 如今战胜得回还,喜抬花轿迎亲归;

月亮照在我头上,姑娘不要嫁他人。

原来,此时曹军上下都认为北方平定,可以安享太平了。但曹操胸中的大志却是:平定中原,进而统一全国。郭嘉深知曹操之心,于是怒斥那些贪图安逸的将士,代曹操说出统一中原的大志。曹操见他如此知心,甚为相惜。就在这时,探马来报:袁绍之子袁尚、袁熙已经投靠东北乌桓。曹操因势利导,趁机激励全军将士直捣乌桓。

兵发乌桓的路上,连日干旱无雨,将士们口渴难耐,正在无计可施之时,天降大雨,曹操欣喜若狂。可谁知连日暴雨,洪水泛滥,行军速度异常缓慢。这时,有谋士建议驻军休整,但曹操担心延缓时日错失良机,执意不肯。这时,郭嘉献出一计:丢弃重物、扔掉盔甲、轻装行军。这一计策遭到众人反对,因为一旦遭遇敌军,后果不堪设想。曹操沉思片刻,下令依计而行。

可怕的事终于发生了:在地势险峻的白狼山(在今辽宁喀喇沁左翼蒙古族自治县东境),曹军遭遇乌桓三万骑兵的伏击!一时之间,曹军上下惊惶失措,乱成一团。曹操见此情景,拔出宝剑,高喊:"大家不要惊慌! 随我来!"他带头纵马杀开一条血路,直冲白狼山头,在制高点上镇定自若地指挥战斗。将士们深受鼓舞,奋力拼杀,大败三万乌桓骑兵。

随后,将士们士气高涨,纷纷要求乘胜追击,但郭嘉却坚决反对,并说:如今诸侯割据势力,矛盾重重,我们一旦进攻,他们就会联合抵抗;我们不进攻,他们反而会起内讧,自相残杀,到时我们只需坐收渔翁之利! 曹操听后,有些犹豫,但最终还是采纳了郭嘉的建议,按兵不动。可是,几个月过去了,乌桓毫无动静,曹操变得非常焦虑、急躁。郭嘉深知其意,便宽慰他再等一等。曹操一听,大怒道:"等!我已经五十岁了!再等我就……"郭嘉终于明白曹操一直郁郁寡欢,是因为他担心自己已经老了,无法完成统一大业了!

事隔不久,乌桓果然派人携袁尚、袁熙的头颅拜见曹操,曹操由此更加赏识、信任郭嘉。征服乌桓后,曹操信心大增,决定发兵南下。然而在南下途中,曹军却因缺水而经历了前所未有的艰难险阻,军心开始涣散。对曹操打击最大的是:郭嘉因病去世了。此时,年过五十的曹操扪心自问:要不要就此放弃? 最后,他毅然决定继续统兵南下。

南下途经渤海时,曹操临海凭眺,看着惊涛拍岸,巨浪滔天,写下了著名的诗篇《龟虽寿》:

老骥伏枥,志在千里;

烈士暮年,壮心不已。

自此,他更加坚定了意志,再也没有消沉,直到统一中原。

人生箴言

食其食者,不毁其器;食其实者,不折其枝。

——《淮南子·说林训》。

🕊 **成长启示**

> 吃了食物,不要毁掉盛食物的器具;吃了果实,不要折断结果实的树枝。

高瞻远瞩的三国名臣

在《三国演义》和旧中国戏中,鲁肃是以一个宽厚无能的文弱书生形象出现的。其实,历史上的鲁肃,是三国时期东吴一位很有政治远见的文武兼备的杰出将领。

鲁肃,字子敬,临淮东城(今安徽定远东南)人。出生于东汉末年一个士族地主的家庭,幼年丧父,由祖母抚养成人。他"体貌魁奇,少年壮节",从小就很有政治抱负。年轻时努力学习击剑骑射,经常聚集少年,讲武习兵。他家产殷富,但是看到当时社会动荡,民不聊生,即大散财货,变卖田地,用以济贫救危,结交士人,因此深得乡邻百姓的"欢心",在周围集结了一批豪侠义士。

建安三年(公元198年)担任居巢(今安徽巢县)行政长官的周瑜,带领数百人路过鲁肃家乡,听说鲁肃"性好施与","甚得乡邑欢心",特地前去拜访,并请求资助。鲁肃既然应允。当时鲁肃家里有两囤米,各有三千石,他随手指着一囤米送给周瑜。周瑜见他宽仁大度,两人遂结为知交。

扬州军阀袁术久闻鲁肃名声,委任他当东城县(今安徽定远东南)的行政长官,鲁肃见袁术统治暴戾,聚敛无度,不足与共事,就对聚集在身边的同乡父老和豪侠义士们说:"现在中原大乱,寇贼横行,淮水、泗水一带生活困难,我听说江东(指长江下洲的江南一带)沃野千里,民富国强,生活安定,你们愿意随我暂到那里定居,以观时变吗?"三百多个乡亲父老和豪侠义士一致同意去江东定居,鲁肃便率领他们起程,老弱、妇女走在前面,年轻体壮的断后。袁术的州郡官吏听到消息,派骑兵前来堵截。鲁肃身背弓箭,手持兵器,走在队尾,他对追兵说:"你们都是大丈夫,身为将士,应该明白天下大势,懂得道理。现在天下大乱,有功不赏,无功不罚。你们不追我们,当官的也不会惩罚你们,何必逼人太甚呢?"说完,他把一个盾牌立在地上,引弓射箭,箭箭穿盾而过。追兵听鲁肃的话很有道理,又估计自己的武功敌不过鲁肃,便相率而去。鲁肃带领同乡父老和豪侠义士,前往居巢,投奔周瑜,后来又随周瑜渡过长江,投奔江东的孙策。

鲁肃渡江后,把家属安置在曲阿(今江苏丹阳)。不久,因祖母去世,他回东城料理丧事,好友刘子扬写信劝他投奔巢湖的郑宝,说郑宝拥众数万,其地肥饶,颇有发展前途。鲁肃办完丧事,准备北上巢湖。但当他回到曲阿搬取家属时,周瑜已将他的母亲迁到了吴(今江苏苏州)。此时孙策已经去世,其弟孙权继领其众,周瑜劝鲁肃留下为孙权效力,说:"昔日马援(东汉名将)说过:'当今之世,非但君择臣,臣亦择君。'现在主人(指孙权)亲贤贵士,纳奇录异,而且我听说先哲有论,说承天命取代刘氏者(指东汉王朝),必兴于东南,以此推断,孙氏将来必成帝业,这正是义士攀龙附凤,干一番事业的大好机会。"鲁肃被他说服,决定留居江东。周瑜又向孙权推荐了鲁肃,劝他任用鲁肃,以成功业,千万不要把鲁肃放走。

当时,孙权的势力不大,只控制会稽、丹阳、吴、豫章、庐江等郡,统治也不稳固,许多士大夫对他都持观望态度。孙权听到周瑜的推荐,立即召见鲁肃,两人谈得非常投机,孙权心中大喜。召见完毕,其他宾客纷纷退出,鲁肃也起身告辞,孙权却把他单独留下,设酒招待。酒酣之际,孙权问他:"当今汉室倾危,四方云扰,我继承父兄的事业,想建立像齐桓公和晋文公那样的功业。承蒙惠顾,不知你有何辅佐之策?"鲁肃胸有成竹地回答说:"过去汉高祖一心一意想尊奉义帝,可是没有成功,那是因为项羽从中作梗的缘故。现在的曹操,就是昔日的项羽,有这样的人在,将军怎能做出齐桓公和晋文公那样的事业呢?以我之见,汉室已经不可复兴,曹操也不可能很快除掉。为将军计,惟有立足江东,以观天下之变。你现在已经拥有这样的实力,也不必过于小看自己。如今北方麻烦事不少,曹操无暇南顾,将军可乘机剿除黄祖(江夏太守),进伐刘表(荆州牧),控制长江一线,然后建号称帝王,以图取天下,建立汉高祖那样的基业。"鲁肃对当时天下形势的分析和他提出的驻足江东、夺取荆州、统一全国的战略方针,同诸葛亮在"隆中对"中对形势的分析和战略决策的基本精神是一致的,只是各自所持的立场有所不同而已,可谓是殊途同归。

在孙权的文武将官中,鲁肃是第一个明确提出统一全国的战略目标的人。当时他才二十九岁,孙权对他自然是刮目相看。以后,鲁肃在东吴历任赞军校尉、水陆副都督等职。周瑜死后,他任水陆大都督,成为东吴的主要军事将领。

做/优秀的/自己

人生箴言

人固有一死,或重于泰山,或轻于鸿毛。

——司马迁《报任安书》。

成长启示

人都是会死的,但有人死得比泰山还重,有的却比鸿毛
还轻。

姜氏劝夫以国为重

古时,女子以贤良端淑为美德,但其中也不乏深明大义之人。晋文公重耳的妻子姜氏就是这样一位女中豪杰。

重耳是晋献公的儿子,他为躲避争夺皇位的斗争,长年流亡在国外,这期间,他在齐国呆的时间很长。齐桓公想到日后重耳定会登上国君之位,对自己称霸天下大有用处,便极热情周到地厚待重耳,给他配备马车,建造豪华的居所,还将宗室之女齐姜嫁与他,人称姜氏。

重耳在齐国衣食无忧,十分开心自在,就渐渐留恋起这种生活,终日沉迷于温柔乡中,几乎忘记了复国之事。追随他的子犯、狐偃等人对此深以为忧,众人讨论后决定,乘公子重耳外出打猎时,强行将他带回晋国。

姜氏在得知子犯、狐偃等人的谋划后,找到重耳先行规劝。姜氏说:"大丈夫应以国家为重,不应贪图享乐。"重耳说:"我知足常乐,将在这里终此一生,永不考虑谋国的打算。"

姜氏不停地劝说重耳逃走,可重耳却迷恋齐国不肯离去。无奈,姜氏找到子犯、狐偃,摒退左右,悄悄地对他们说:"你们是不是想把公子骗出齐国,以谋划复晋之事?"

子犯与狐偃一听,暗叫不好,原来这个姜氏已经知道密谋之事,他们深怕她泄露于齐桓公,就极力辩解。

姜氏微微一笑,说:"你们不必隐瞒,其实,我早已苦劝公子以复国为重,可他不肯听从。于是我经过深思熟虑,想出了一个万全之策,来同你们商议。"

众人大喜,洗耳恭听。姜氏说:"我趁吃酒时将公子灌醉,你们再趁机用车把他拉出齐国,共谋大业去吧。"

子犯、狐偃听完,立即表示同意。于是,大家分工协作,一切准备就绪。

一天晚上,姜氏设宴摆酒,重耳满腹狐疑,即问姜氏为何设此大宴。姜氏试探着说:"你将重回晋国,因此为你而设。"重耳有些恼怒,他说:"我从未想过离开此地。"姜氏又说:"公子的随从,都是心有远虑、卓识不凡之人,他们的言语,公子应采纳才对。"重耳立刻变脸生气,说:"我为什么听他们的,不走就是不走。"姜氏见重耳发怒,不敢再提,转而甜言蜜语地劝酒。

重耳一杯又一杯痛饮着,不久便酩酊大醉,姜氏见重耳睡熟,立即派人通知子犯等。众人将重耳抬上马车,离开齐国。姜氏看着远去的马车,眼泪夺眶而出。

几年后,重耳做了晋国国君,姜氏也受到了晋人的欢迎。

人生箴言

> 不降其志,不辱其身。
>
> ——《论语·微子》。

成长启示

不降低自己的志向,不辱没自己的名声。

痛饮黄龙

公元 1129 至 1130 年,金兀术率领金兵大举南下,想一举消灭南宋政权。民族英雄岳飞(公元 1103～1142 年)率军屡次挫败金兵,取得重大胜利。

岳飞在多次大败金兀术以后,又派人与黄河、淮河一带的起义军联络,让他们与南宋官军会师。各路起义军纷纷响应,都打起了"岳"字号的大旗,父老百姓都争着拉车牵牛,载着粮食给义军送去,顶盆焚香在道路两旁夹道迎接。金兀术在燕山以南的占领区内,发出的号令已经毫无效力,金兀术打算征兵抵抗岳飞,但在河北一带无一人应征。金兀术叹息说:"自我南下以来,还从没有遭到过这样的挫折。"金兀术手下的一个大帅叫乌陵思谋,向来聪明能干,可是也管不住队伍了,他便对部下说:"不要轻举妄动,等岳家军到来时,我们立即投降。"金兵统制王镇,统领崔庆,将官李觐、崔虎、华旺等人都率领所辖部队投降,龙虎大王突合速帐下的心腹禁卫,像查千户、高勇等人,都秘密接受了岳飞的旗帜,从北方赶来投降。金兵将军韩常还打算以五万兵作为内应,响应岳飞。岳飞大喜,激励将士们说:"我要一直打到金国的首都黄龙府,与诸君痛快大饮一番!"

人生箴言

百尺竿头,更进一步。

——朱熹《答巩仲至》。

成长启示

即使是到了一百尺长竿子的顶端,也还要继续努力更进一步。

第二章
每个人都有自己的一座山

人的生命是有限的,人的活法又是多种多样的,最好的活法应是顺其自然并努力奋斗。

登一座山,刚登上一小段,就发现另一座山美丽壮观,于是匆匆跑下来又开始登那座"美丽壮观"的山;刚爬上一小段,又发现了更秀美奇特的山,于是又匆匆跑下来去登那新发现的山……如此下去,这些人跑来跑去,跑了很多年,却仍在"山"脚下徘徊,他们事后又是命苦又是心累地叫个不休,可这又能怪谁呢?! 最好的活法是顺其自然。这里的"自然"不是随波逐流,也不是随遇而安,更不是醉生梦死地跟着别人走,而是指一个人弄明白自己的人生方向后踏踏实实地顺着这条路走下去。我们应该明白,鱼儿不能因为羡慕鸟儿就可以飞上天空,小草不能因为羡慕大树就可以无限地生长,一个人更不能因为羡慕别人的成就而一味地盲从。

因为,我们每个人都有自己的长处和优势,也就是说,每个人都有自己的一座山;关键是我们到了那座山后,应该坚定不移地攀登上去。无数事实也证明了,坚持登一座山的人一定能达到顶峰;坚持做一项事业的人一定会成功;坚持一种生活信念的人一定会幸福。

真的,最好的活法就是顺其自然、努力奋斗,既不感叹命运,也不抱怨环境,是鱼就畅游在水中,是虎就盘踞在深山,是鹰就翱翔在蓝天……只要明白自己是什么也就明白了自己该走的路,也就可以信心十足地走在自己选定的人生路上了。由此,你也会在生活中创造出无穷的乐趣,在前进中开发出无尽的幸福与欢乐,这才是人生最好的活法。

世界上几乎没有笔直可通的路,曲径通幽便是你推销自我的蹊径。直而不曲,容易碰壁;绕个弯子,柳暗花明。

——读书札记

终军请缨

汉代的终军(字子云,济南人)很有才学,汉武帝非常赏识他。终军十八岁那年被选为博士弟子,又被委任为谒者给事中,负责迎送宾客、奉诏出使等外交事务。有一次,朝廷要派人出使匈奴,终军说:"我在朝廷领取多年的俸禄,还没有立下一点功劳。听说陛下要派人出使匈奴,我愿意前往,对匈奴单于晓以利害,说服他臣服于朝廷。"武帝觉得他很有见识,就把他晋升为谏大夫。

当时,正值南越与汉朝和亲,汉武帝便派终军出使南越,以劝说南越王归顺汉朝,听从朝廷指令。终军主动请求说:"希望陛下赏赐给我一条长绳,我一定把南越王捆绑起来,带到宫廷。"于是,终军劝说南越王,南越王听从了他的劝说,答应让整个南越国都成为汉朝廷的属国之一。武帝非常高兴,恩准南越国王使用大臣的印绶,统一实行汉朝的法度,以新的办法改变南越的社会习俗,还命令汉朝的使者留在南越,担任镇守和安抚的大臣。但是,南越的相国吕嘉不想归顺汉朝,他起兵攻杀了南越王,汉朝的使者也都被他杀死了。终军死时,只有二十多岁,所以,世人都称他为"终童"。

人生箴言

立志在坚不在锐,成功在久不在速。
——张孝祥《论治体札子》。

47

🕊 **成长启示**

> 树立志向要坚定,而不可匆忙;事情的成功在于持久,而不在一时的急速。

揽辔澄清

东汉时,有一个官吏名叫范滂,他字孟博,汝南征羌(即今河南郾城东南)人。他初为清诏使,后迁光禄勋主事。再以后为汝南太守宗资属吏。他抑制豪强,并与太学生结交,反对宦官,深得人们喜爱。

据《后汉书》记载,范滂一生刚明正直。桓帝时,冀州曾发生大灾荒,贪官污吏趁机搜刮,老百姓也纷纷起来暴动。朝廷派范滂出巡冀州,举发不法贪官。范滂上车出发的时候,想到严重的天灾,恶劣的形势,感慨良多,立志扫除奸邪,澄清天下。冀州的那帮贪官污吏听说范滂要来了,纷纷作鸟兽散,辞职的辞职,逃跑的逃跑。后来,范又上书弹劾一些刺史、太守,却没有得到朝廷的支持。延熹九年(166),范滂与李膺等同时被逮,第二年释放还乡。后来,再度被逮,死在狱中。

人生箴言

大丈夫为志,穷当益坚,老当益壮。

——范晔《后汉书·马援传》。

成长启示

大丈夫立志,越是在处于困境的时候,就越应该坚定自己的志向;越是到老年,志气越应该豪壮。

马援老当益壮

西汉末年，扶风郡中有一个壮士名叫马援，很小就很有理想。马援不仅知书识礼，而且精通武艺，所以他哥哥称他"大器晚成"。哥哥死时，马援持服行丧，侍奉寡嫂，恭敬尽礼非常周到。后来他做扶风郡督县官，奉命押送一批囚犯，一路上他见囚犯们痛苦哀号，不觉动了恻隐之心，于是把那批囚犯都放了，自己则逃亡到北方去。

马援在北方放牧，因为很有本事，养了几千头牲畜。马援常说："大丈夫为志，穷当益坚，老当益壮。"他把赚来的钱全都分给亲友，自己只穿破羊皮裤。

王莽末年，马援在隗嚣手下做大将。那时候天水隗嚣、四川公孙述和刘秀三足鼎立，公孙述在成都称帝，隗嚣派他到那边去查看情况，马援认为自己和公孙述是同乡，两人一定会相见如故，没料到公孙述摆出全副架势，由礼官赞礼后，才引见他。马援看见公孙述如此装模作样，谈不了两句就走了。后来马援又被派到洛阳见刘秀。刘秀马上接见他，还虚心地请教他问自己有哪些不如人的地方，并且亲自陪同他巡视各处，征求他对国事的意见。马援见光武帝能礼贤下士坦诚相待便留了下来。

马援在东汉做大将，被派去屯田，建立了不少功劳。恰遇到南方交趾有女王聚兵造反，攻打边疆州郡，马援请命带兵出征，光武帝于是封他为伏波将军。马援带了水路各军，浩浩荡荡地出发了，在沿海进攻交趾，交趾军敌不过，被杀得大败，汉军乘胜直击交趾巢穴。女王退到一个山洞里，被汉军捉住杀了，马援平定了交趾。为了纪念战功，后人还建立了一个大铜柱。马援得胜班师回朝，朝中文武百官，在郊外迎接了三十里。马援谢道："男儿就是要拚死疆场，用马革包裹尸体回来。"

后来洞庭湖一带又发生了五溪蛮人作乱的情况，光武帝派兵征伐。因山泽瘴气熏人，汉军全军覆没。马援知道了，就向光武帝上禀，表示愿意自请带兵出征，光武帝看他想了一会儿说道："你年纪太老了吧。"马援道："我虽然六十二岁了，却还能披甲上马，不能算老。"马援穿好甲胄一跃登鞍，十分自豪，表示自己可用，光武帝称赞他道："这个老人家，真是老当益壮啊！"这位老将军又浩浩荡荡地率领汉军为国立功去了。

人生箴言

> 一身之利无谋也，而利天下者则谋之；一时之利无谋也，而利万世者则谋之。
>
> ——胡宏《胡子知言·纷华》。

成长启示

不要谋求一己之私利，而应为天下人谋利；不要谋求一时的利益，而要谋求造福后人的长远利益。

曾点春服舞雩

　　春秋时期的孔子,经常同他的学生们一起讨论问题。有一天,子路、曾皙(名点,字子皙)、冉有(即冉求)、公西华四个人陪坐着。孔子说:"因为我比你们年长一点,现在没有人用我了。你们平时总说:'没有人知道我呀!'假如有人知道你们,任用你们,那你们要干些什么呢?"子路急忙回答说:"一个拥有一千辆兵车的国家,夹在大国中间,常受别国侵犯,内部又有饥荒,如果让我去治理,只要三年,就可以使人们勇敢善战,还懂得遵守礼义。"孔子听了,讥讽地微笑着。他又问:"冉求,你怎么样呢?"冉求回答说:"一个方圆六七十里,或者五六十里的小国家,让我去治理。只要三年,就可以让老百姓饱暖。至于这个国家的礼乐,只有等待君子来实行了。"孔子又问:"公西赤(即公西华)!你怎么样呢?"公西赤回答说:"不敢说我能够做到,但我愿意学习。在宗庙祭祀的工作中,或者在同别国的盟会中,我愿意穿着礼服,戴着礼帽,做一个小小的赞礼人。"孔子又问:"曾点,你怎么样呢?"曾点放慢弹瑟的速度,节奏逐渐稀疏,最后"铿"的一声,离开瑟站起来,回答说:"我和他们三位所说的不相同。"孔子说:"这有什么关系呢! 不过是各自谈谈自己的志向罢了。"曾点说:"暮春时节,天气转暖,已经穿上了春天的衣服。我邀集五六位成年人,六七个少年人,去沂河里洗洗澡,在舞雩台上吹吹风,一路唱着歌走回来。"孔子长叹一声说:"我赞成曾点的想法。"

人生箴言

桑弧未了男子事,何能局促甘囚山。

——文天祥《生日和谢爱山长句》。

成长启示

桑木作弓,蓬草作箭,射天地四方,这是有志男儿的事业。怎么能守在这狭小之地而无所事事呢?

帮我最大的是坚强的毅力

黄荣辉是我国研究地球物理的著名科学家,他可是一位极有毅力的人。听听他自小到大的故事吧,他的经历让人十分钦佩。

黄荣辉于解放前出生在福建省惠安县一个非常穷苦的农民家庭。旧社会,人们过着黑暗的日子,他的父亲靠给人家当雇工或长工来养活全家。解放前,他们家祖祖辈辈都没有上过学,没有一个知识分子,谁也没想到家里以后会出一位科学家。1949年解放了,黄荣辉家里分得了土地,他才上了学。

上了学,黄荣辉感到了学习的乐趣。那时候,生活仍然十分困难,黄荣辉没有钱交伙食费,怎么办呢? 他每星期就自己从家中挑几十斤白薯和柴草步行约二十公里到学校,在学校边自己烧火做饭。再冷的冬天,他也只穿两件破烂的冬衣,直到高中毕业,他还没穿过一双买来的鞋,一双木拖鞋伴他度过了中学时代。他与一位同窗好友合盖一床被子,上学用的文具只有靠有时帮助富裕家庭的子弟背书得一点劳务费来购买。

生活的艰辛并没有使他退缩,反而更激励他勤奋读书,他以坚强的毅力完成了从小学到高中的学业,一直保持着优异的成绩。

1959年,他以优异的成绩考上了北京大学地球物理系。他带着家里唯一的一条被子,第一次穿着买来的鞋迈入了北大这一引导他认识现代科学的大门。学校给了他最高的助学金,还有冬衣和夏衣,校领导们还经常对他问寒问暖。这使他暗暗下决心:只有努力学习,才能报答党和人民对自己的培养啊。物质生活虽然稍微好转了一些,可是枯燥的学习也是很让人望而却步的,黄荣辉又一次以坚强的毅力坚持了下来。

后来,黄荣辉成了一名地球物理的科学家。研究工作枯燥无味,进行理论研究,必须从分析浩若烟海的观测资料入手。要在这个领域提出一点新见解、新理论,即使是训练有素的科学家,也要耗费巨大的心血。黄荣辉同样无捷径可走,他再一次以坚强的毅力进行了几十年的研究工作,在中国的宇宙科学领域作出了巨大的贡献。

回顾这么多年的经历,黄荣辉感叹:"灵感没有帮过我的忙,帮我最多的是坚强的毅力。"

人生箴言

> 名骥骋长途,安得恋栈阜。
>
> ——归庄《送二兄尔德赴史阁部幕府》。

成长启示

骏马渴望着能够驰骋万里,哪里会留恋马厩里安乐的日子啊!

盲人复仇

清朝的时候，卫河边有一个盲人常在河边走动。他大概只有三十多岁，瘦骨嶙峋的，拄着一根木棍。只要有船只停下来，他就摸索着上前去打听："请问，船上有位叫赵大的人吗？有吗？黑黑的、高高壮壮的样子。"

每次他得到的回答总是没有，但是他并不灰心，不管春夏秋冬依然摸索着在河边走来走去。

他还常在河边的小客栈过夜，住在他旁边的人经常听见这个盲人说梦话，梦话也离不开"赵大"这个名字，大家都觉得非常奇怪。一来二往，大家都熟了，于是，大家问盲人叫什么名字，盲人老是没个准儿，一会儿叫这个，一会儿又叫那个，叫人捉摸不透。大家更加觉得他是个怪人了。

一晃十多年过去了，盲人依然在卫河边来回走着，卫河一带的人都认识他了。所以每当他要开口问人的时候，人们都不耐烦地说："没见过！以后别找我了！"

有一天，来了一艘运粮食的大船，停泊在河边上。盲人赶忙凑了过去，大声问道："请问，船上有位叫赵大的人吗？有吗？黑黑的、高高壮壮的样子。"不一会儿，从船里走出一个五大三粗的人，在甲板上蛮横地站着，挺着肚子，大声说："我就是赵大，哪个找我？"

那个盲人一听这个声音，顿时就如一头咆哮的猛兽，一下子扑到了赵大的身上。赵大拼命地挣扎。可是,盲人使出了浑身的力气,紧紧地抱住了赵大,死死地掐住了他的喉咙。他们俩一起滚到了水里,河里溅起了好大的水花。盲人也不顾死活,依旧抱着赵大不放。赵大一个劲儿地喊救命,不一会儿,就没有声音了,几天后,人们在下游发现了他们的尸体,盲人依然是紧紧地抱着赵大。

后来,人们听说,赵大是盲人的仇家。赵大害死了盲人的全家,还把盲人害瞎了。盲人虽然瞎了,可是还是决定要报仇。他知道赵大是做粮食生意的,一定会经过卫河,于是在卫河边一等就是十几年。他双目失明、势单力薄,报仇比登天还难,但是他不灰心,凭借坚强的意志,终于成功了。

人生箴言

男儿志分天下事,但有进分不有止,言志已酬便无志。
——梁启超《饮冰室合集·诗·志未酬》。

成长启示

有志男儿以天下为己任,前进没有止境,若以为壮志已酬,那就是没有志向。

没有选择的选择

曾任北京外交学院副院长的任小萍女士说,在她的职业生涯中,每一步都是组织上安排的,自己没有什么自主权。但在每一个岗位上,她也有自己的选择,那就是要比别人做得更好。

1968 年,任小萍成为北外的一名工农兵学员。当时她年纪最大,水平最差,第一堂课就因为回答不出问题而站了一节课。第二天,教室里挂出一条横幅"不让一个阶级兄弟掉队",她就是这个"阶级兄弟"。但等到毕业的时候,她已经成为全年级最好的学生。

大学毕业后她被分到英国大使馆做接线员。做一个小小的接线员,是很多人觉着没出息的工作。但任小萍却把这个普通的工作做出了新意。她把使馆所有人的名字、电话、工作范围甚至连他们的家属的名字都背得滚瓜烂熟。有些电话进来,有事不知道该找谁,她就会多问问,尽量帮他找到合适的人。慢慢地,使馆人员有事外出,并不是告诉他们的翻译,而是给她打电话,告诉她会有谁来电话,请转告什么,有很多公事私事也委托她通知,任小萍成为全面负责的留言点、大秘书。

有一天,大使竟然跑到电话间,笑眯眯地表扬她,这是破天荒的事。没多久,她就因工作出色而被破格调去给英国某大报记者做翻译。

该报的首席记者是个名气颇大的老太太,得过战地勋章,被授过勋爵,本事大,脾气也大。前任翻译就是受不了她的脾气给气跑的。刚开始她也不要任小萍,看不上她的资历。后来勉强同意一试。一年后,老太太经常对别人说:"我的翻译比你的好上十倍。"不久工作出色的任小萍就被破例调到美国驻华联络处,她干得同样出色,还获得外交部表彰。

任小萍说,一个人无法选择工作时,至少他永远有一样可以选择:就是好好干还是得过且过。在同一种工作岗位上,有的人勤恳敬业,付出得多,收获也多,有的人整天想调好工作,而不做好眼前的事,其实这样的选择也决定了将来的被选择。

人生箴言

功崇惟志,世广惟勤。

——《尚书·周官》。

成长启示

功勋卓越只有靠立志高远,学识广博只能靠勤奋努力。

钱学森的选择

1949年,当第一面五星红旗在天安门广场上徐徐升起时,当时任加利福尼亚工学院超音速实验室主任和"古根罕喷气推进研究中心"负责人的钱学森为祖国的新生而感到高兴。

于是,他打算回国,为自己的祖国——新中国服务。但那时候在美国的中国科学家回国是很不容易的,而钱学森的专长又直接与国防有关,所以他历尽艰辛才终于回到祖国的怀抱。

1950年9月中旬,钱学森毅然辞去了加利福尼亚工学院超音速实验室主任和"古根罕喷气推进研究中心"负责人的职务,到移民处办理了回国手续。他还买好了从加拿大飞往香港的飞机票,把行李也交给了搬运公司装运。

然而,就在他打算离开洛杉矶的前两天,忽然收到美国移民及归化局的通知——不准回国!移民局威胁他说,如果他私自离境,抓住了不仅要罚款,甚至要坐牢!

又过了几天,钱学森被粗暴地抓进了美国移民及归化局的看守所,"罪名"是"参加过主张以武力推翻美国政府的政党"。

钱学森交给搬运公司的行李也遭到美国海关及联邦调查局的检查,据说从中"查出"了电报密码、武器图纸之类的东西。美国移民及归化局要"审讯"钱学森,说钱学森是"美国共产党员"。后来又说钱学森在美国念书时认识的几个美国同学之中,有几个是美国共产党员。美国移民及归化局还扬言钱学森"违反美国移民法",要把钱学森"驱逐出境"。这话说出口没多久,又连忙改口。因为要把钱学森"驱逐出境",这正是钱学森求之不得的!在看守所,钱学森像罪犯似的,被看管监禁着。钱学森曾回忆道:"我被拘禁的十五天内,体重就下降了三十磅。在拘留所里,每天晚上,特务要隔一小时就进来把你喊醒一次,使你得不到休息,精神上陷于极度紧张的状态。"

美国移民及归化局迫害钱学森引起了美国科学界的公愤。不少美国友好人士出面营救钱学森,为他找辩护律师。他们募集了15 000元美金作为保金,才算把钱学森从看守所里保释出来。

1955年6月,钱学森写信给当时的全国人大常委会的陈叔通同志,请求党和政府帮助他早日回到祖国的怀抱。周总理得知后非常重视此事,并指示有关人员在适当时机办理此事。

经过不懈的努力,1955年10月18日,钱学森一家人终于回到阔别二十年的祖国。不久,他便被任命为中国科学院力学研究所所长。

人生箴言

> 有志者,事竟成。
>
> ——《后汉书·耿弇传》。

成长启示

有志气的人,事情终究会成功。

徐本禹的选择

1999 年,徐本禹成为华中农业大学的一名学生。那年秋冬之交,天气很冷,他还只穿着一件单薄的军训服。一位同学的母亲送了他两件衣服,第一次远离家乡,第一次远离亲人,第一次在外地得到好心人的帮助……让徐本禹永远不能忘怀。

2003 年,徐本禹以高分考取了本校的硕士研究生。然而,2003年 4 月 16 日,徐本禹却做出了让所有人大吃一惊的决定:放弃攻读研究生的机会,去岩洞小学支教……电话那头,听到这个消息的父亲哭了。父亲用发颤的声音说:"全家尊重你的选择,孩子,你去吧,我们没有意见……"

徐本禹第一次知道贵州的狗吊岩是在 2001 年,当时他读大三,很偶然读到了一篇题为《当阳光洒进山洞里……》的文章:"阳光洒进山洞,清脆的读书声响起,穿越杂乱的岩石,回荡在贵州大方县猫场镇这个名叫狗吊岩的地方。这里至今水电不通,全村只有一条泥泞的小道通往十八公里外的镇子。1997 年,这里有了自己的小学——建在山上的岩洞里,五个年级一百四十六名学生,三个老师……"读着读着,徐本禹哭了。

读完这篇文章,他决定要用自己的方式帮助山洞里的孩子。徐本禹开始在学校为岩洞小学募捐,号召大家和他一起利用暑假时间到贵州支教,"给孩子们带去一些希望"。

在学校和同学们的支持下,2002 年暑假,徐本禹带着募捐来的三大箱子衣服、一口袋书和五百元钱,第一次和几个同学坐上了开往贵州的火车。

徐本禹第二次来到狗吊岩村,与他同来的还有七名志愿者。后来由于水土不服等种种原因,志愿者一个又一个离开了。8月1日这天,最后一个志愿者也坐上了返回武汉的长途车,车窗内外,去送行的徐本禹同他无语对视。"如果感觉真的坚持不下去,就回学校吧。要不,你在这里自己开伙做饭也行,你这样也坚持不下去的。"同学的一番话让他对自己有些担心。

徐本禹住在一间十多平方米的房子里,房间里很少见到阳光,这个小空间成了他学习的乐园——一张比较大的桌子上摆满了书籍,地上摆放着生活用品和好心人捐的物品,原本狭小的房间变得更加狭小。原来不吃辣椒的徐本禹到了这里之后,每天都要吃辣椒,而且这里的卫生条件很差,苍蝇到处乱飞,在吃饭的时候经常发现苍蝇在里面。"当地情况就是这样,刚开始很恶心。我对自己说,就当没看见罢了。饿的时候,一顿可以吃三碗玉米饭。只有吃饱了,身体才能有保障,才能在这里支教下去。"

徐本禹在这里一周要上六天课,每天上课时间达八个小时。他自己负责五年级一个班,除了教语文、数学外,还要教英语、体育、音乐等。由于信息闭塞,学生不了解外面的任何东西。学生写一篇二百多字的文章有二十多个错别字是很正常的现象。"刚开始上课的时候,我问全班四十名学生中有多少人听说过雷锋的名字,结果只有四个人知道;全班没有一个人听说过焦裕禄;只有一个学生听说过孔繁森,我心中有一种钻心的痛,我不知道这些孩子应该从什么地方教起。"

2004年4月,徐本禹回到母校华中农业大学作了一场报告。谁也没料到,他在台上讲的第一句话是:"我很孤独,很寂寞,内心十分痛苦,有几次在深夜醒来,泪水打湿了枕头,我坚持不住了……"本以为会听到激昂的豪言壮语的学生们惊呆了,沉默了。许多人的眼泪夺眶而出。

报告会后,他又返回了狗吊岩村,依然每天沿着那崎岖的山路,去给孩子们上课。

到需要帮助的地方去! 这是徐本禹的志向。

人生箴言

立志不高一步立,如尘里振衣,泥中灌足,如何超达?

——《菜根谭》。

成长启示

在世立身如果不能比别人站得更高,立志更大,就会像在尘土里抖衣服上的灰尘,在泥水里洗脚,如何能超凡脱俗,成就大业呢?

汉高祖刘邦夺天下

汉高祖刘邦(前256年~前195年),江苏沛县人,西汉王朝的开国皇帝。秦末,陈胜、吴广揭竿而起,率农民反抗秦朝的残暴统治。刘邦也聚众而起,并于公元前206年率兵攻占咸阳,推翻秦朝统治,于公元前202年建立西汉。

刘邦少年时候绝非读书之人,他性格豁达粗犷,待人宽厚,平时他很少参加家庭的农业生产,生性爱玩,不愿干活。父亲为此曾多次责备他,但无济于事。长大之后,刘邦更是无所顾忌,好交游,爱酒色。没钱时就赊酒来喝,常常喝得醉醺醺的。

刘邦虽然在生活上有失检点,但他却胸怀大志。秦始皇统一六国后,国内和平安定,经济上也有所发展,人民生活也比战国时期富裕多了。秦始皇为了显示其一统天下的威风,常常威武雄壮地组织马队外出视察。有一次,刘邦趁到秦国都城咸阳(今陕西咸阳市东北)服役的机会,目睹了当时帝国京城的繁荣壮观景象。一日,当刘邦又像往常那样正目不暇接地观看着"花花世界"时,突然人声鼎沸,马嘶贯耳。随之而来的便是令人恐怖的呵斥声和人们纷纷躲闪的脚步声。刘邦不知发生了什么事,抬眼一看,只见一支全副武装的士兵护卫着庞大的车队正缓缓而来。

"这是秦始皇巡行都城来了。"旁边有人悄悄地告诉刘邦。

皇帝,刘邦从来没有见过皇帝,这个词在他心中既陌生又带有几分神秘。当秦始皇的车队驶过刘邦的身边时,刘邦第一次感到

了皇帝的威严。他知道了什么叫威风凛凛,什么叫气宇非凡。刘邦不由自主地赞叹:

"嗟乎,大丈夫生当如此矣!"从此,在刘邦的心中便深深地印下了这句话,有朝一日,他也要像秦始皇那样,驾车巡行,让天下的人都看到他的尊严,都向他叩拜。

从咸阳回来后,刘邦通过考试当了秦国的泗水亭长。秦时乡村的基层政权,十里为一亭,十亭为一乡。亭长是掌管一亭之内治安和道路的地方小吏。刘邦虽然出身卑微,而且亭长也是一个没有级别的小官,但他却不以为然,常常嘲弄县里的官吏,认为这些人都是碌碌平庸之辈,不值得交往。唯独与沛县的主吏萧何和管理刑狱的曹参志趣相投,交往甚密。

有一年,沛县来了一位贵客,是沛县最高行政长官县令的一位远方挚友,人称吕公,吕公名父,字叔平。其家乃豪门大户,只因躲避仇杀,才到沛县来避难,虽说是来避难,但毕竟吕公乃豪门之家,再加上又是县令的挚友,故县里的豪杰吏曹们都来拜贺。刘邦身份虽低,但迫于面子,也前来拜访。当时萧何正好任宴席的司仪,由他主办宴席,他向来客宣布:"凡贺礼不满一千钱,都坐在堂下。"当时,刘邦分文未带,听到这个规定后,竟毫不在意,对传达说:"我贺钱一万。"传达告诉吕公后,吕公很惊讶,连忙亲自下堂迎接。吕公看到刘邦之后,觉得他相貌非凡,眉宇间透着一股龙气。因此吕公对他十分敬重,与刘邦入席就坐,畅饮长谈。谈话间,吕公更是对刘邦喜爱备至。酒后,吕公示意刘邦留下,问其家世,提出愿把自己的女儿许配给刘邦。这对刘邦来说乃求之不得之事,便爽快地答应了。

秦二世元年(前209年)秋天,陈胜等人在蕲县(今安徽宿县)起兵反秦的消息传开后,各郡县人民大都杀死郡守县令以响应陈胜起义。沛县县令十分害怕,想率领沛县响应陈胜起义,于是会同手下官吏派樊哙去请刘邦。此时刘邦已有一支上百人的队伍,加之敢领头,大家便拥立刘邦为沛公。

秦二世三年(前207年),楚怀王任命刘邦为砀郡(今河南永城东北)长,又封他为武安侯。刘邦领兵西进,经过高阳城(今河南杞县西)时,当时是高阳城守门小吏的郦食其看到刘邦和他的队伍后,认为经过高阳的将领虽然很多,但都不如刘邦。便去求见刘邦,献上自己的计策。此时刘邦正坐在床边,由两个侍女给他洗脚。郦食其并不跪拜,只是抱拳拱手为礼,说:"您如果确实想推翻暴君的统治,就不应该这样随便地接见我这样年长的人。"刘邦一听,连忙下床,整衣赔罪,请郦食其上首坐下。郦食其这才建议刘邦袭击陈留,夺取秦的存粮,刘邦一听,连声叫好,当时就封郦食其为广野君。

公元前206年10月,刘邦率领大军在其他诸侯之前进攻灞上,接着便向西进入咸阳。秦王子婴见大势已去,便率众投降了。刘邦见到秦朝富丽堂皇的王宫,眼花缭乱的财宝和令人心醉神迷的宫女,不由沉迷起来,就想住进秦宫,经樊哙和张良劝说后,最终率军退住灞上。随后他召集附近年长的人和那些在民众中有影响的人说:"我与你们大家约定一个简明的法律,只有三条:杀人者偿命,伤人和为盗者按轻重判罪。至于秦的那些法律,一概废除。"秦国民众大喜过望,争先恐后地送来牛、羊、酒和食物犒劳士兵。刘邦婉言谢绝,坚持不受礼,说:"仓里粮食很充实,不想麻烦大家,耗费你们的钱粮。"秦国民众一听,更加高兴,都从内心里欢迎刘邦,希望他能在秦地为王。

刘邦的所作所为在关中的百姓心中留下了美好的印象,大家都祈祷刘邦能留下来当关中王。刘邦此举,争取到了关中地区广大百姓的拥戴,为以后的发展奠定了坚实的基础。

公元前203年12月,刘邦在垓下一战中大败项羽,项羽见大势已去,便拔剑自刎了。

公元前202年正月,刘邦正式登基称帝,国号为汉。从此,汉王朝开始了长达四百年的统治。

人生箴言

> 志不强者智不达。
>
> ——《墨子·修身》。

成长启示

志向不坚定的人智慧就得不到充分的发挥。

第三章
吃苦也是一种资本

吃苦,也是一种资本。说你可怜,你一定没吃过苦,你就不具备这种资本。

只是在影片里见过那被击倒的拳击手,他躺在地上喘着粗气,浑身伤痕累累,嘴角还淌着血,却没有一个人给他送花,为他鼓掌。只是在旅途中看过那拉脚的纤夫,喊着震天动地的号子,弯腰垂背将沉重的纤绳勒进隆起的胸肌……

你充其量是个旁观者。

你没有经历饥饿的历史,你便不知道一粒米的可贵,不知道那些被太阳晒黑了皮肤的耕种者的可敬,当然更无从感受饿得头昏眼花或者伸手乞讨的可悲和可怕。没有受过寒流的抽打,你的血液里、你的骨髓中就不能孕育生长出抗争的细胞。你必然十分脆弱,容易发抖、容易胆寒,周身缺少足够的热流和火焰,靠什么温暖爱人冻僵的脸庞和手指?

没有尝过寄人篱下的滋味,听不到风凉话,看不到冷脸,过多的奉承让你长出发育不全的性格。突然某一天,你背靠的大树倒了,你开始失宠,在坑坑洼洼的路上,你绝对不如别人那样行走自如。

苦,可以折磨人,也可以锻炼人。蜜,可以养人,也可以害人。

因此,吃苦也是一种资本。

我们奋斗我们摔跤;我们跌倒我们爬起,坎坎坷坷却生生不息,我们哭过,笑过;我们爱过,恨过。风风雨雨却一如既往,毕竟我们在走一段真真切切的生命历程。

——读书札记

徐悲鸿励志为国

徐悲鸿,江苏宜兴人,我国近代著名画家,中国现代美术大师。他画的奔马已成为中国画的一个象征。

徐悲鸿出生于一个贫苦家庭,他从小就开始学画,由于悟性很高,画画技艺进步神速。1917年,徐悲鸿东渡日本求学。1919年,又赴法国留学。1927年回国,为变革中国美术作出了巨大贡献。

坎坷的求学生涯,使徐悲鸿饱尝人生辛酸,激发出奋进向上的精神;祖国的动荡不安,又让徐悲鸿心系国难,励志报国,无论何时何地,他心中都充溢着中国人的志气和聪明才智。

在法国国立巴黎最高美术学校留学时,徐悲鸿深切地感受到中国留学生的地位低下,中国人学习办事都备受歧视。尽管徐悲鸿成绩名列前茅,并具备别人望尘莫及的作画天资,可依然处处遭人忌恨。

有一次,一个狂妄的洋学生肆无忌惮地闯进教室,讽刺中国留学生都是无知的蠢才。尽管在场所有中国人内心全都充满怒火,可身在异国,却又谁都敢怒不敢言。徐悲鸿极力控制自己的愤怒,针锋相对地说:"先生,你不要说得那么早,到底谁是蠢才,就让我们各自代表自己的祖国比试一下,等到学业结束的那一天,高低上下就自然分明了。"说完,他愤怒地走开了。徐悲鸿心里憋了一口气,他废寝忘食,拼命地学,刻苦地练,不顾身体的疲劳,不管胃病的折磨,参加严格的素描训练,到卢浮宫、凡尔赛宫等处临摹名画,终于取得了成功。1924年,徐悲鸿的毕业油画展出轰动了整个巴黎美术界,给那些瞧不起中国人的外国洋学生们以有力的驳斥。

徐悲鸿学成归国,先后任教于南国艺术学院和中央大学,从事绘画创作。他的作品多寄寓着反抗侵略,抨击卖国投降,同情人民,追求光明的思想,表现着中国人民对祖国的炽热情感和高尚的思想境界。他以一个美术家的身份奔赴国难,参加着拯救国家和民族的战斗。

人生箴言

> 志当存高远。
>
> ——诸葛亮《诫外生书》。

成长启示

> 人的志向应该宏伟深远。

高士其自强不息战残疾

高士其是我国科普事业的主要开拓者。他将深邃、严谨的科学和浪漫、极富变化的文风结合在一起，写出了人们喜闻乐见的科普小品《细菌的衣食住行》、《细菌大菜馆》、《微生物漫话》和《菌儿自传》等多部科普文章。

高士其毕业于清华大学，后赴美国留学。毕业后他留在芝加哥医学研究所深造。1928 年，他 23 岁的时候，一天，他正在细菌实验室做实验，一个装着甲型脑炎病毒的试管破裂，病毒顺着耳膜侵入脑部，几天后脑炎症发作，严重损害了他的神经。以后，他瘫痪了，头向左歪，语言含混，双眼发直，生活不能自理。

然而，高士其的心没有衰竭，他没有被生理上的痛苦和心灵上的创伤所击倒。他在逆境中自强不息，坚持学习，最终获得了医学博士的学位。1930 年，他怀着振兴祖国科学事业的满腔热情回到了祖国。

他从 1935 年开始喜欢起科普小品的创作。他尝试着写了一篇《细菌的衣食住行》，发表在李公朴等人主编的《读书生活》杂志上。没想到这篇科普小品在读者中掀起了不小的波澜，深受读者的欢迎。从此，高士其就将全部精力投入到科普小品的创作中去了。

他以轻松愉快的笔调，通俗易懂的文风把细菌学和卫生学的知识介绍给广大群众，使群众在有趣的故事中掌握了许多知识。他的创作灵感犹如源源不断的清泉，自然溢入到人民的心田，浇开了无数朵科学普及的鲜花。

　　然而病魔并没有因为高士其的勤奋就停止了脚步,侵入他体内的病菌再一次向他发起进攻,气势汹汹。他的手颤抖得更加厉害,写字已经十分困难。但他以顽强的毅力,使出全身的力气握紧笔杆,继续笔耕不辍。

　　从 1935 年到 1937 年抗日战争爆发前夕,他在两年多的时间里发表了一百多篇科普小品和科学论文。

　　高士其还怀有一颗报国之心,1937 年抗日战争时期,高士其冲破重重阻力,到达革命圣地延安。毛泽东接见了他,称他是"中国的红色科学家"。他又于两年后光荣地加入了中国共产党。与此同时,他的病情又继续恶化,说话和行动已十分困难。当时延安地区缺医少药,他被送往香港和国民党统治区治病。治病期间,他坚持进行科普小品的创作。他口述,让别人笔录。

　　建国初期,高士其为了提高广大人民群众的科学文化水平,他不顾疾病的折磨,全身心地投入到科学普及工作之中。从 1949 年至 1965 年,他创作了大约 60 万字的科学小品和科普论文,写下了两千多行科学诗。他撰写出版的科普作品已达到二十多部。

　　高士其写的科普小品涉及领域广阔,从电子到宇宙,从微生物到人类,从火到原子能,从石器到自动化,可以说是无所不包。为了写好科普小品和科普著作,他阅读了大量的科学著作。由于疾病已使他不能进行资料摘抄,所以他硬是凭着大脑将有关资料牢牢地记住。他写的科学诗风格独特,深受读者喜爱,人们都称赞他是传奇式的残疾人科普作家。

人生箴言

临财毋苟得,临难毋苟免。

——《礼记·曲礼上》。

成长启示

面对钱财与利益,不可以为了得到它而舍弃道义;面对灾难与危险,不可以苟且偷生而失去做人的气节。

董遇寒夜苦读书

董遇是三国时期著名的学者,他一生酷爱读书,常常手不释卷,达到了废寝忘食的地步,有时甚至忘记了时间。

有一年冬天,天气很寒冷,西北风呼呼地刮个不停,外面连一个人影都见不到。此时此刻家家户户都已进入梦乡,只有董遇还在埋头苦读。他伏在案上全神贯注地看书,任凭西北风怎么刮,他都一动不动地坐在那里。他忘记了这时已是夜半时分。

由于长时间盯着书看,董遇的双眼开始感到疲劳。忽听砰的一声,门被吹开了。他想去关门,可是腿已冻得麻木,不听使唤,一步也挪不动,只好伸手扶案,支撑住身子,一摇一晃地走到门前。凛冽的寒风扑面而来,他使出好大的力气才把门关严。然后回到窗前坐下,继续苦读。

时间一分一秒地过去,董遇感到有些困倦,于是他急忙抬起头,深深地吸了一口气,放下手中的书。他把双手举过头顶,放松了一下筋骨,可是,仍然觉得疲倦,思维也不像刚才那样敏捷了。于是,他到水缸里舀了盆冷水,沾湿毛巾,贴在脸上。冰凉的毛巾敷在脸上确实使他感到清醒多了。他又挽起袖子,用毛巾在脖子上、胳膊上擦着,擦洗完,继续翻开书,又开始一字一字地读。

董遇书读得多了,知识渊博了,名气也渐渐大了起来,人们纷纷前来向他请教。当人们让他讲书时,他却说书一定得自己读,而且要反复地读,这才能体会到其中真正的含义。有人反驳说那样太浪费时间,每天有干不完的事,哪有时间读书呢? 董遇说时间总是有的,就是看愿不愿利用。

人生箴言

傲不可长,欲不可纵,志不可满,乐不可极。

——《礼记·曲礼上》。

成长启示

骄傲不可以滋长,欲望不可以放纵,不可认为自己志得意满,不应该使自己乐到极端不加控制。

千幅荷花

古代有个大画家王冕最擅长画荷花,他画的荷花姿态万千,像真的一样。许多人为了求他画一幅荷花,不辞辛苦,从老远的地方带着贵重的礼物赶到他家。

大家只知道他画画得好,可没有几个人知道他为何会画得这么好。其实,这位画家小时候家里很贫困,他白天替人放牛填饱肚子,只有晚上才有一点时间在自己家里的小破桌子上自学。

有一天,他在湖边放牛,忽然下起一阵雨,一会儿雨停了,湖里的荷花和荷叶被雨水冲洗得非常干净。荷花在微风中摇曳,荷叶上还有亮晶晶的水珠。他看了这样的美景,心里想:要是把它画下来该多好啊。于是他用身上仅有的一点零用钱买了纸和笔,开始画了起来。

画了一张又一张,每一张都不好,不是颜色不对,就是构图不好。可是,王冕一点儿也不灰心。画啊,画啊,半天的时间不知不觉过去了。等他一抬头,天已经快黑了,牛也不见了,他只好空着手回去了。

回去后,他挨了一顿骂。可是,他一点儿也没打算放弃,他坚信总有一天他会画好的。于是,每天不管日晒雨淋,他都一边放牛一边观察荷花。有时,他就在湖边画起来,有时,晚上回家还要画上几个时辰。

日子一天一天地过去了,他不知画了多少幅荷花,可能要以千万来计数吧,他的荷花越画越好。渐渐地,十里八乡都知道他的荷花画得好,很多人都想要他的画,他便把荷花画拿出去卖,卖得钱拿回家孝敬母亲。他的家境因此渐渐好转,不再替人放牛了。同时他的名声也渐渐远播,终于成为一个全国有名的大画家。

人生箴言

费千金为一瞬之乐,孰若散而活冻馁几千百人;处妙躯以广厦,何如庇寒士于一崖之地。

——《省心录》。

成长启示

浪费千金只为片刻的享乐,不如散尽此财使千百个遭受冻饿之苦的人得以活命;渺小的身躯居住在宽敞的房屋中,怎么比得上广造房屋,使贫苦无依的人有房可住?

苏秦衣锦还乡

在古代战国年间,洛阳有个读书人叫苏秦。苏秦学习非常刻苦,几年以后,他出游各国,想游说各国的君主采用自己的治国之策,但是没人采纳他的观点。苏秦没有办法只好回到家乡。他的全家人,包括兄弟姐妹还有嫂子,看他一事无成地回来了,都十分瞧不起他,暗地里嘲笑他,说:"我们这都是靠置产业或经商来挣钱,你这样不干正经事而去靠你的口舌吃饭,落到这个地步岂不是活该?"苏秦听到这些话感到很惭愧,可是他还是觉得自己的想法是对的,于是他闭门不出,苦读诗书。有时候读书读得太晚了,困了,他就用锥子刺自己的大腿来让自己保持清醒继续读书。后来的成语"悬梁刺股"中的"刺股"就是从这里来的。

这样又经过了几年的刻苦学习,苏秦不仅学问大长,而且关于治国平天下的想法也更加成熟了。于是苏秦又开始周游列国,希望有人能采纳他的观点。

可是现实总不是那么遂人所愿,苏秦去游说当时的周王,周王并没有接纳。他又去了秦国、赵国,后来到了燕国,燕国国君终于接纳了他的观点。从此,苏秦为燕国出谋划策,他为燕国的强大进行频繁的外交活动,他还大大影响了齐、赵、魏等国的决策。他纵横捭阖,取法于诸子学说又加以融汇,游说诸侯国君,成为影响整个时代发展的重要的政治家。

这时候,苏秦又回了家乡。这一次,家里人对他的态度大大地变化了,每个人都在夸他,认为他走的路是对的,以前看不起他的嫂子感到很不好意思。

人生箴言

丈夫所志在经国,期使四海皆衽席。

——海瑞《樵溪行送郑一鹏给内》。

成长启示

男子汉大丈夫志在为治理国家而出力献身,所期望的是让全天下的人们都过上舒适的生活。

卞和献玉

在春秋时期,楚国有一个人叫卞和。卞和非常善于辨识玉。有一天,卞和在荆山发现一块石头,他认定这块石头里一定藏着一块美玉,于是他决定把这块石头献给当时楚国的国君楚厉王。楚厉王接见了卞和,叫来玉匠鉴定这块石头,不料玉匠说:"这是石头,里面没有什么宝玉。"楚厉王非常生气,就以欺君之罪砍掉了卞和的左脚。卞和感到非常委屈,但是他相信自己的判断,这石头里面有非常罕见的宝玉。他保存着这块石头,决定有机会还要试一试。

后来,楚厉王死了,楚武王继承了王位。卞和觉得新的君主一定会相信自己,于是卞和跛着脚一瘸一拐地再次去献玉,不料楚武王一样不相信卞和,他砍掉了卞和的右脚。卞和非常伤心,但是他暗暗下决心,有一天一定要让天下人知道我是对的。

再后来,楚文王即位,卞和没有腿了,没法再到大殿上去献玉,他抱着玉在荆山下哭了三天三夜,血都哭出来了。文王得知后便派人询问:"天下被砍双脚的人这么多,唯有你哭得这么伤心,为什么?"

卞和说:"我不为失去双脚而哭,而是为珍宝被人看作石头而哭。"文王听说过卞和两次献玉的事情,感到非常奇怪。于是,文王请来能工巧匠,琢石打开验看,果得一块罕见美玉。后来楚文王命工匠把这块玉加工雕琢成一块白璧,作为传世之宝,为了表彰卞和,还把这块玉命名为"和氏璧"。"和氏璧"是中国历史上一块非常有名的玉,它的出名来源于卞和的毅力啊!

人生箴言

> 准有道者,能备患于未形也。
>
> ——《管子·牧民》。

成长启示

只有具有远见的人才能够在祸患没有形成的时候就预防它。

一代雄才汉武帝

汉武帝(前 156 年~前 87 年),即刘彻,西汉时期杰出的帝王。汉武帝统治时期,缔造了汉帝国的鼎盛之世。汉帝国的繁荣昌盛,在汉武帝时达到了顶峰,并开拓了著名的"丝绸之路",为加强中西方的文化交流作出了杰出的贡献。

汉武帝刘彻,汉景帝刘启之子,生于公元前 156 年。其母亲王美人自称在怀孕时梦见红日入怀,为刘彻的身世增添了一道神秘的光环。父亲刘启又是这一年即位,由此对刘彻格外宠爱。

刘彻兄弟共十三人,上有哥哥,下有弟弟,母亲又只是个妃子,皇位对他来说应该是无缘的。谁知事有凑巧,汉景帝皇后薄氏因没有儿子被废,景帝长子刘荣被封为皇太子。汉景帝的姐姐长公主刘嫖想让自己的女儿陈阿娇与刘荣联姻,无奈刘荣的母亲栗姬气量狭小,就是不同意这门亲事。长公主便把目光投向比阿娇小几岁的刘彻。一天,她当着汉景帝的面问刘彻,要不要娶阿娇为妻,稚气的刘彻回答说:"如果能娶阿娇为妻,我一定要给她造一座金房子。"汉景帝由此对刘彻的聪明伶俐更为欣赏。在长公主的敦促下,刘彻于公元前150年被立为皇太子,并请文武全才、德高望重的卫绾做他的老师。

在卫绾的悉心培育下,刘彻进步很快,爱好广泛,对文学、骑射、儒家经典都有很大兴趣。这对他后来成为一代英明帝王,奠定了坚实的基础。

公元前140年,十六岁的刘彻登基做了皇帝。年轻皇帝锐意进取,即位不久,就提拔了一批儒生出身的大臣,并下令各级官吏"举贤良方正直言极谏之士",削弱王侯权力,减轻农民负担,施行恩德,振兴教化,政治面貌为之一新。然而,刘彻的改革很快就失败了。因为刘彻虽然是皇帝,但实际权力却掌握在窦太皇太后手中。公元前136年,她迫使刘彻废除新政,并罢免皇帝任命的丞相窦婴和太尉田蚡,关押支持拥护新政的御史大夫赵绾和郎中令王臧。不久,赵绾和王臧被迫在狱中自杀。

刘彻见无力改变局面,便以退为进,命令重修秦代的上林苑,在各处修建行宫,醉心于游猎、诗赋,摆出一副不问政事的姿态。

　　除游猎、写赋之外,刘彻还注意搜集人才,短短数年间,在他身边聚集了韩安国、汲黯、公孙弘、枚皋、东方朔、唐蒙、庄助、终军、朱买臣等一批文臣武将,为他日后干事业做好了充分准备。这一时期,刘彻还成功地解决了东南沿海东瓯和闽越问题,使自己的威信大大提高。公元前136年,刘彻根据儒生董仲舒"罢黜百家,独尊儒术"的建议,下令兴建太学,设五经博士官,招收博士弟子,凡通一经以上者,就可以补官。这一举措不仅是对窦太皇太后集团的一种挑战,更重要的是,鼓吹"春秋大一统者,天地之常经,古今之通谊"的儒家学说被正式确定为封建统治阶级的正统思想,知识分子攻读五经成为求官得禄的一条最为直接的道路。

　　公元前135年,窦太皇太后病逝,刘彻摆脱羁绊,再次开始实现他的政治抱负。首先,他颁布一系列法令、措施,建立并健全了由太学、征召、察举以及公车上书等组成的以选拔文官为主的用人制度,从而打破了论资排辈的陋习和军功贵族独占政府要职的局面。其次,刘彻在政治上进一步对地方割据势力采取打击限制的政策。公元前127年,刘彻采纳主父偃的建议,实行"推恩策"。规定诸侯王除由嫡长子继承王位外,其他诸子都可在王国内得到封地,建立侯国。表面上这是普及皇恩,实际上是削弱了王国实力。后来,刘彻又"作左官之律,设附益之法"。规定诸侯王国官吏地位上低于中央任命的官吏,并不得进入中央任职,严禁封国官吏与诸侯串通一气,结党营私。这就限制了诸侯王网罗人才,达到了孤立诸侯王的目的。公元前112年,刘彻借口诸侯王所献助祭的"酎金"成色不好或分量不足,一次夺爵、削地者达106人,占当时列侯的半数。

这样,王、侯二级封爵制度虽然存在,但他们"衣食租税",封土而不治民,再也无力与中央抗衡。

汉高祖时期,北方匈奴经常南下抢掠,由于当时汉朝在武力上还无法与匈奴对抗,只得采取"和亲"政策日渐积蓄力量。经过"文景之治"后,到汉武帝时期,汉朝国力大增,于是汉朝开始征讨匈奴以安定边境。汉武帝在位期间,与匈奴作战十余次,取得三次大规模决定性的胜利,匈奴再也无力与汉朝对抗,并向西远逃千余里。

汉武帝刘彻七十四岁病逝,在位五十五年。汉武帝上承"文景之治",下启"光武中兴",作为一代雄才而载入史册。

人生箴言

为善则流芳百世,为恶则遗臭万年。

——《幼学琼林·人事》。

成长启示

一个人做善事,他的好名声就会流传很久,获得人们的赞誉;做恶事,他的坏名声也会流传很久,遭到人们的唾弃。

才华横溢的华罗庚

华罗庚(1910－1985)，江苏金坛人，我国著名的数学家，也是我国现代数学的奠基者，并把数学研究应用到了生产实践上，创造了"优选法"和"统筹法"，并著有《堆垒素数论》，是20世纪经典数论著作之一。被誉为"人民的数学家"。

华罗庚小的时候，家里很穷，所以华罗庚上了几个月的学便退学了，靠给别人当学徒以维持生计。由于华罗庚勤奋好学，所以华罗庚退学后仍自己坚持学习。有一次，一个顾客过来买鸡蛋，便问华罗庚鸡蛋多少钱一斤。当时华罗庚正在思考一个问题，便随口说了一个很大的数字，顾客听了这个数字后吃惊不已愤愤而去。

1929年，华罗庚的家乡发生了瘟疫，华罗庚也染病卧床，持续高烧昏迷不醒。医生断言他已无药可救。幸运的是，家人坚持对他用中药处方进行治疗，他的病竟慢慢转好了。但是，由于缺乏医学常识，在卧床的六个月里由于没有经常翻身，华罗庚的病虽然痊愈了，左腿却留下了终身残疾。后来华罗庚走路时左腿先划一个大圆圈，右腿再跨一小步，行走十分吃力。面对这一不幸，华罗庚却十分乐观，还幽默地戏称自己这种奇特而费力的步履为"圆与切线的运动"。他顽强地与命运抗争，激励自己"我要用健全的头脑，代替不健全的双腿！"

华罗庚在西南联大任教期间，生活非常窘迫。有一次，附近的农民给华罗庚的妻子吴筱元送了两个鸡蛋。吴筱元见丈夫日渐消瘦,心疼不已,悄悄藏了一个留给丈夫。当夜深人静,孩子们都熟睡后,她把床底下的鸡蛋悄悄煮了给丈夫。华罗庚看着鸡蛋,给妻子出了一道简单的数学题:一个鸡蛋重半两,把它们平均分成五份,每份多少两?

妻子不假思索脱口而出:"当然是 0.1 两啦。"华罗庚按妻子所说,把鸡蛋平均分成五份,自己把其中的一份吃了,剩下四份留给妻子和三个在家的孩子。

1930 年的一天,华罗庚收到上海寄来的刚刚出版的《科学》杂志第十五卷第二期。他急忙用颤抖的双手翻开,《苏家驹之代数的五次方程式解法不能成立之理由》的大标题和"华罗庚"三个字赫然映入他的眼帘。顿时,热泪顺着他瘦削的面颊悄然滑落了下来。这是他病前写的一篇论文。当时的著名教授苏家驹发表了一篇题为《代数的五次方程式之解法》的论文,华罗庚读后,发现这位教授的解法是不对的,就写了这篇文章寄给中国科学社主办的《科学》杂志。这篇论文,对华罗庚以后的命运产生了重要影响。清华大学数学系主任熊庆来教授看到这篇论文后如获至宝,立即四处寻问作者的身世经历,要人写信邀他来清华大学数学系。1932 年秋天,当华罗庚一瘸一拐地走出北京前门火车站时,来接他的人都愣住了,没想到这位二十二岁的青年,不仅出身卑微,而且身体残疾!尽管如此,华罗庚还是在熊庆来教授的关照下当上了数学系的助理员。此后,华罗庚如鱼得水,在数学的王国里自由地起飞了。一年半之后,他攻下了数学系的全部课程,还自学了英、德、法等国文字。1935 年冬季,华罗庚被破格提升为助教,继而又升为讲师。到1936 年,他已先后在美、日等国数学杂志上发表了十几篇有关数学方面的论文。华罗庚以自己的勤奋、才华和惊人成就,赢得了清华园师生的敬佩。

华罗庚才华横溢,诗文俱佳,才思敏捷且幽默风趣。他读唐诗"月黑雁飞高,单于夜遁逃。欲将轻骑逐,大雪满弓刀",发现有常识性错误,并随口成诗指出:"北方大雪时,群雁早南归。月黑天高处,怎得见雁飞?"这不但显示出华罗庚精于推理的特点,其诗文功底也可见一斑。

1953 年,中国科学院组织出国考察团,团长为钱三强,团员有华罗庚、何祚麻以及大气物理学家赵九章教授等十多人。途中无事,华罗庚以"三强韩赵魏"为上联,无人以对,华罗庚只好自对下联"九章勾股弦"。这里"三强"是双关语,一是指团长钱三强,二是指战国时代三强国韩赵魏。"九章"也是双关语,一是指团员赵九章,二是指我国古代数学名著《九章》,被誉为"妙联"。

1960 年,华罗庚在工农业生产中开始大力推广统筹法和优选法。在近二十年的时间里,华罗庚的足迹走遍了全国二十多个省、市、自治区,深入到工厂、矿山,用深入浅出的语言向工人和农民介绍优选法和统筹法,行程达十万多公里。毛泽东曾写信赞扬他道:"不为个人,而为人民服务。"广大的人民群众也亲切地称华罗庚为"人民的数学家"。

人生箴言

> 为学须觉今是而昨非,日改月化,便是长进。
>
> ——朱熹《朱子语类》卷八。

成长启示

> 做学问必须常常觉悟到今天比昨天有所进步,有所超越,日有所改,月有所变,就是有所长进。

勤奋的李政道

1926 年 11 月 25 日,李政道出生在中国的第一大城市上海的一个名门望族家里。他的父亲李骏康先生早年是南京金陵大学农化系的第一届毕业生,正在经营肥料化工产品的生意。母亲张明璋是上海启明女子中学的毕业生。在旧中国,这是一个不太多见的知识分子家庭。

李骏康先生虽是经商致富,但他对生意的应酬并不十分热衷,而对他的六个子女的管教却十分地尽心和严格。

李政道的童年是在温馨的家庭里度过的,父母亲的苦心培养和良好的环境,使李政道的聪明才智得以挖掘。他自幼对数学和物理有独特的爱好。四岁时就开始学认字,并学习心算加减法,算起来特别快,每当他完成一道算题,幼小的心里别提有多高兴。

上了小学,李政道在知识的海洋里更加自由地遨游。他常常对一些数学问题长时间地思索。小时候的李政道长得瘦小、腼腆,在学校里总是显得那么安安静静,不引人注意。但从小学到中学,他的学习成绩总是保持优秀,因此又博得老师的特别青睐。他常是轻声细语地拿着自己的作业走到老师跟前请求批改。他的数学老师每次批改完他的作业,总是提着眼镜,对他会心地微笑,看到老师的笑脸,小政道稚气的脸上也绽开了笑容。

上海,这个20世纪30年代旧中国冒险家的乐园,也是工业较为发达,科学、教育较为先进的城市。在那动荡的年代,李政道既能时常触及到科学文明的火花,又常体验到国家落后、受人欺侮的滋味。由于家庭环境的熏陶及他自己的志趣,李政道从小就有一种求学的渴望,并以成为科学家为自己追求的目标。他常用斑斓的光环,来编织着自己理想的未来。

但命运并没有给他准备铺满鲜花的平坦大道。

"七七事变"后不久,日本侵略军便占领了上海,随后又乘势紧逼南京。国民党曾声称要死守3个月的南京,结果只守了六天就放弃了,十多万军队不战而逃。沪、宁相继沦入敌手,整个江苏没有一寸干净、宁静的土地,上海滩到处是连天的烽火、尸横遍野。传播知识的学校被当做伤兵的急救所,昔日繁华的南京路到处是军车的嚎叫声!国难当头,战争的硝烟打破了他的幻想。在一片炮声火海中,李政道只好告别了养育他的黄浦江,随着逃亡的人群含泪离开了上海。

李骏康先生以中国知识分子特有的思维方式,认为无论日子如何艰难,孩子的教育是头等大事,不能耽误。他先把老二崇道和老三政道送到浙江嘉兴秀州中学,可是过了不久,战火又烧到那里,浙赣战事吃紧,他只好又把宏道和崇道、政道兄弟三人一起送到江西联合中学就读。在这战时的后方,生活和学习条件虽比不上上海优越,但毕竟可以继续学习而不至于荒废学业。李先生深知自己为人之父,给孩子们最好的东西,就是让他们能有个学习环境,能有学习的机会。孩子们此时的任何需要,远没有比上学更为重要。

在这里,虽说生活苦些,父母又不能常在身边,他们兄弟三人还要共同为生活的许多琐事而操劳。但这里毕竟没有隆隆的炮声,毕竟有个较安静的学习环境,所以酷爱学习的李政道也就感到心满意足了。他如饥似渴地学习知识,他的数理天赋在这深山僻壤里逐渐得到升华。

来到江西后,起初孩子们与家人音讯不断。后来局势更加紧张,信件无法往来,家人也无法得到孩子们的音信。母亲放心不下,只好孤身一人,不顾风险千里迢迢到江西去看孩子们。哪知刚出浙东就被抢劫一空,见子心切的母亲,以顽强的毅力,长途跋涉,只身步行到江西。那时日本鬼子正在攻打独山,战火纷飞,硝烟弥漫。孩子们见到风尘仆仆、面容憔悴的母亲,都一下子扑到母亲身边,年龄最小的政道依偎在母亲的怀抱里,可母亲第一句话却问:"你们在这里学得怎么样?我和你爸爸可是望子成龙啊!"

很久以来,李政道对母亲望子成龙的心情是有很深的感触的。他常想,作为母亲就是应该望子成龙,让孩子知道母亲相信孩子会有所作为。孩子需要这种支持,因为他们尚缺乏这种自信心,他们希望听到人们的掌声,尤其是希望听到母亲的掌声,因为母亲的呼唤将鞭策他们前进。

在江西的两年里,李政道的学习成绩还是那么优秀,令老师和同学们甚至他的哥哥都刮目相看。在这大后方,办学条件很差、师资奇缺、战争连年不断,学校经常聘不到老师。在李政道读高三时,有一天,学校训导主任叫人把他请去。他二哥以为三弟出了什么祸,怕他这可爱的三弟会受什么委屈,赶紧跟上前去,在窗外看着。

训导主任对这位小同学挺和气,指着坐在一旁的数学老师说:"不少老师都说你学得不错,特别是数学、物理更突出,天赋很高。校方考虑再三,想让你来为低年级同学上这两门课,不知小同学你意下如何?"

"我来当'小先生'?"政道顿时愣住了。

坐在一旁的数学老师开口说:"小同学,能当好老师是件不容易的事,对你是大有好处的,也可解校方燃眉之急。"

对这突如其来的消息和老师的恳切要求,他无言以对。李政道使劲地点点头,脸上绽开了笑容。

站在窗外的二哥顿时双眉舒展,不停地向弟弟装着鬼脸,心里不停地自言自语:"老三还真行,真行!……"

就这样,李政道走上了讲台,给低年级的同学上数学和物理这两门课。他不仅要学好自己的功课,还要用很多时间来备课。他备课特别认真细致,常从自己初学时的体会入手,对一个概念,一道习题,反复多次,从不同角度来讲述。由于他的讲课浅显易懂,竟收到很好的效果。这些山里的孩子看到这位比自己高不了多少的"小先生",在引导他们向大自然探索时竟是那样侃侃自如、神怡自得,都赞叹不已。

不久,二哥崇道考上了广西大学,此时大哥也回到上海读书

做/优秀的/自己

了。政道一人仍留在江西坚持他的学业和当他的"小先生"的差使。有时他也去广西找二哥。他喜欢读书，嗜书如命的习惯依然如故，每次途中总会把行李丢几件，可只有身边的一箱书没丢过。有一次他下了火车就发出了求救电话："二哥快来，我要饿死了。"原来他又是什么都丢光了，腹内空空，寸步难行。当二哥赶到火车站时，却看到他那可爱的三弟正在候车室里专心地看书。

少年时代的李政道，虽然在旧中国颇受颠沛流离之苦，但也培养了他的许多优秀品格，为他日后攀登科学高峰奠定了基础。

人生箴言

生当作人杰，死亦为鬼雄。

——李清照《乌江》。

成长启示

活着就要做一个出类拔萃的人，死了也要做鬼中的豪杰。

94

"书圣"王羲之

王羲之(303-361),字逸少,临沂人。东晋书法家。7岁开始学书法,曾拜卫夫人为师。其书法追本溯源,博采众长,开创了书法的新风貌,被后世称作"书圣"。

王羲之是晋代大书法家,人称"书圣"。他从小就喜爱练字,七岁时跟著名书法家卫夫人习字。他集中心力,刻苦练习,日有长进,不到三年,已经功夫相当好。卫夫人见了赞叹道:"这孩子的书法,将来一定比我还要有名望的呵!"

王羲之家里藏着很多前人的书法论著。王羲之12岁时就一边读,一边记。他父亲见了说道:"你年纪还小,读这些书还嫌早哩!"

王羲之回答说:"学习是不能等待的,就像路要天天走,才得上进。小时不学,将来就迟了。"

王羲之的父亲听了,十分惊奇,就亲自指点他。这样,王羲之的书法就长进更快了。后来王羲之渡江北上,游历了许多名山大川,见到了许多名书法家的手迹。他一个一个临摹,努力把各个名家的字的特点弄清楚,长处学到手。他没日没夜地练字,下功夫,连家旁池塘里满盈盈的碧清碧清的水,都因洗砚、洗笔,染得黑沉沉的。

王羲之少年时代笔锋初露,便震惊了方圆百里的书法名家。一时间赞声不绝,贺客盈门。王羲之在这种情况下,也不禁飘飘然起来了。

一天，王羲之路过集市，只见一家饺子铺门前人声喧闹，非常热闹。尤其是门旁的那副对联，分外惹人注目，上面写着"经此过不去，知味且常来"十个字，横匾上写的是："鸭儿饺子铺"。但是字却写得呆板无力，缺少功夫。王羲之看罢，把嘴一撇，心中暗想：这两笔字儿，也就只配在这小铺门前献丑罢了！但他又一琢磨："经此过不去，知味且常来"——好家伙！这里到底是什么人的买卖？竟敢如此狂妄！

走近一瞧，见铺内有一口开水大锅，设在一道矮墙旁边。包好的白面饺子，好似一只只白色的小鸟，一个接一个地从墙那边越墙飞来，不偏不倚正好落入滚沸的大锅。饺子铺的伙计，则忙前忙后地招呼着顾客。王羲之顺手掏出一些散碎银两，要了一盘饺子，然后坐下。这时他才发现，饺子个个玲珑精巧，好像浮水嬉戏的鸭儿，真是巧夺天工！他用筷子将饺子夹起，慢慢地送到嘴边，轻轻地咬了一口，顿时，清香扑鼻、鲜美盈口，不知不觉间，已把那一大盘饺子全吞到了肚里。

一顿饱餐之后，王羲之想：这鸭儿饺子果然不错！只是门口那副对联的拙笔劣迹实在不堪入目！我王羲之何不乘此机会为他们另写一副，也不辜负我来此一场。想到这里，他便问店伙计："请问店主人在哪里？"店伙计用手指着矮墙说："回相公，店主人就在墙后。"王羲之绕过矮墙，见一白发老太太端坐在面板之前，一个人又擀饺子皮，又包饺子馅，转瞬即成，动作异常娴熟。更令人惊奇的是，包完之后，老太太便随手将饺子向矮墙那边抛去，鸭儿饺子便一个一个依次越墙而过。

白发老太太的高超技艺，使王羲之惊叹不已。忙上前问道：

"老人家,像您这样深的功夫,多长时间才能练成?"白发老太太答道:"不瞒你说,熟练需五十载,深练要一生。"一听这话,王羲之沉默了一会儿,好像在品尝这句话的滋味。然后又问:"您的手艺这般高超,为什么门口的对子,不请人写得好一点呢?"王羲之不问还好,一问倒使白发老太太生起气来。只见那老太太气鼓鼓地说:"相公有所不知,并非老身不愿请,只是不好请呵!就拿那个刚露了点脸儿的王羲之来说吧,都让人们给捧得长翅膀了!说句实话,他写字的那点功夫儿,真还不如我这扔饺子的功夫深呢!你可别学他。常言说得好,'山外青山楼外楼,人人都应争上游,一次上游就骄傲,下回定落人后头'!"白发老太太一席话,说得王羲之面红耳赤,羞愧难当,恭恭敬敬地给老太太写了一副对联。

从此以后,这家鸭儿饺子铺就挂上了王羲之书写的对联,买卖也越发兴隆了。王羲之本人呢,也更虚心地刻苦练字了,后来成为了我国著名的大书法家。

人生箴言

> 不怨天,不尤人。
>
> ——《论语·宪问》。

成长启示

不怨恨天,不责怪人。

"我行我道"齐白石

齐白石（1863 – 1957），原名纯芝，字谓清，号白石，湖南湘潭人。我国著名的国画大师。1953年，文化部授予他"人民艺术家"的光荣称号，表彰他在发展民族绘画方面作出的巨大贡献。同年10月，他被推选为中国美术家协会主席。

1863年11月，齐白石诞生在湖南省湘潭县白石铺乡的一个小山村里，几间破旧茅屋的大门外，一块叫做"麻子丘"的水田就是他们家的全部财产。

故乡优美的景色像一股清泉水，滋润着齐白石的心田。一天晚上，齐白石在描红本上写字，写腻了，就在描红本上画起来。他先画了一条游动的小鱼，又画了一只林间欢唱的小鸟，再画上一朵含苞欲放的映山红。从那以后，齐白石就迷上了画画儿。

齐白石会画画的事很快在同学中传开了。小伙伴找他画画，他从不推辞，从写字本上撕下一张纸就给人家画。后来，外祖父知道了他撕本子给人画画的事，把他狠狠地骂了一顿。这以后，他不敢再撕本子，但仍是找一些废纸来给人画画儿。

这年秋天，家里收成不好，齐白石只得终止了刚刚一年的学习生活，当上了放牛娃。即便是这样，他也没有忘记画画儿。每有闲暇，他就坐在小溪边，细心观察虾的习性，为此还曾被芦虾钳破过脚趾。他找到了一本祖父的记事本，把观察所得一一画在本子上。只可惜，由于家穷，没有拜师学画的可能，十五岁时，齐白石当了木匠。但齐白石对画画的挚爱始终不衰,尤其是画虾。每逢夏秋季节虾蟹上市,他总要买不少。在旧社会,卖虾的人经常走街串巷吆喝。齐白石一听到卖虾的到了门口,总是迎出门去,专挑那大而活泼的,放在水池中细致观察,或用笔杆触动虾须,让虾跳起来,体味它们的形态。

齐白石刚到北京那些年月,北京画坛正处在倒退时期,形式主义画风严重,很多画家迷恋于死气沉沉的宫廷画,脱离生活。齐白石是"外来户",加之他的画不合"时尚",处境十分困难。尤其是他画的花鸟虫虾,与当时的保守画家截然不同。他的画直接来自生活,和那些文人雅士的伤春悲秋、迎风落泪、无病呻吟大异其趣。所以,当他一出现在北京画坛,立即受到保守派画家们的围攻和排挤。但他始终没有屈服,坚信"三百年后自有公论"。

1929年秋季的一天,刚刚当上北平艺专校长的徐悲鸿去参观一个画展。走进画室,满眼是深受形式主义束缚、画面呆板、千篇一律的画幅,徐悲鸿不禁摇头叹息。忽然,他被挂在墙角的一幅画吸引住了:几只悠闲自得的游虾被画家熟练的画笔表现得形态生动、活灵活现。徐悲鸿连声赞叹,并且把"徐悲鸿定"的红条子挂在了这幅遭人冷落的画上。站在一旁的朋友悄悄告诉徐悲鸿:这幅画的作者是一位老木匠,他在北京画坛上十分孤立,他的画被人称作"野狐禅"(野路子,不正规),你买了他的画,会败坏名声的。徐悲鸿听后不以为然地笑着说:"我不但要买他的画,还要请他做艺专教授呢!"几天以后,徐悲鸿真的登门拜访来了。走进齐白石的画室,徐悲鸿被眼前那一幅幅不拘成法、让人耳目一新的画深深吸引住了。他彬彬有礼地握着老画家的手说:"白石先生,我是北平艺专的徐悲鸿,今天登临府上,是想请您到北平艺专当教授。"

听到这话,齐白石感到很突然。多少年来,他一直孤立地处在保守势力的一片骂声中。此刻,他怎能随便接受一个陌生人的邀请呢?于是,齐白石断然拒绝了这一邀请。

过了几天,徐悲鸿再次来到齐白石家,请他去艺专当教授,齐白石还是没有同意。徐悲鸿完全理解老画家的心情,他没有强求,起身告辞了。徐悲鸿知道,齐白石是中国画坛上的千里马,自己有义务帮他纵横驰骋。于是徐悲鸿三顾茅庐,再请齐白石出任教授。在一个如此诚恳的知音面前,齐白石终于答应了。他激动地双手接过聘书,连声说:"先生,你真是好人,你不会骗我的。"

一大傍晚,齐白石正在家中作画,忽然来了一位学者模样的人,他就是立意创新的大画家陈师曾。陈师曾热情地说:"齐先生,我在荣宝斋看到您的画,是特来向您请教的。"

齐白石谦恭道:"这话说到哪儿去了?陈先生是京城名画家,请陈先生指教。"说完,便拿出自己珍藏的绘画精品,展示给陈师曾看。陈师曾一边看一边赞叹:"闭眼打盹的公鸡,枯枝上的秋蝉,功夫很深,画品很高。齐先生大概对徐渭、石涛、八大山人、吴昌硕很佩服吧?"

齐白石听后笑道:"徐渭、石涛、八大山人的画,能纵横涂抹,我心极佩服。他们不随流俗的人品,更使我钦佩。我恨不能早生三百年,为他们研墨理纸。他们如果不收留我,即使死在他们门前,也是情愿的。"

他们越谈越投机。陈师曾诚恳地对齐白石说:"齐先生,我冒昧地讲几句,齐先生的笔墨功底很深,确实也得到了徐渭、八大山人的精髓。但我觉得,齐先生如果能在这个基础上另辟蹊径、变通画法,形成自己的独特风格,就更好了。"齐白石感动得连连点头:"感谢陈先生的肺腑之言,使我豁然开朗。"说完,他站起来,握住陈师曾的手说:"陈先生,听君一夕谈,胜读十年书。我作画数十年,却一直感到不满意。方才您一番指教,才使我明白,过去我画画儿过于形似,无超然之趣。现在我决定大变,即使一时卖不出画,困死饿死在京华,也决不反悔。"

自此以后,齐白石闭门谢客,变法求新。"扫除凡格总难能,十载关门始变更。"从 1920 年到 1929 年,年过花甲的齐白石大胆创新,艰难探索,终于突破了自己,超越了前人,在艺术上闯出了一条新路,形成了自己形神兼备的特色和刚劲清新的艺术风格。

人生箴言

生于忧患,死于安乐。

——《孟子·告子下》。

成长启示

在忧患中得以生存和发展,在安乐之中反而会灭亡。

苦练成角的梅兰芳

在五十年的艺术生涯中,梅兰芳上演剧目近四百出。他继承和发扬了京剧艺术的优良传统,创造了一大批性格鲜明、生动感人的艺术形象。如《打渔杀家》中的渔家女子肖桂英;《断桥》中为了爱情敢于与邪恶抗争的白娘子等。

梅兰芳在自己的艺术实践中,具有不断创新、精益求精的进取精神,对我国京剧事业的发展作出了一系列的贡献。

他突破了传统正工青衣重唱不重演的局限,在兼取百家之长的基础上,完成了京剧旦角表演艺术的重大革新。

在京剧题材上,他坚持"古为今用",先后排练了以现代故事为题材的时装新戏,扩大了京剧的社会影响。

在京剧舞蹈上,他向生活学习,向古代艺术学习,创造了一系列优美动人、婀娜多姿的舞蹈。如《天女散花》中的绸舞、《霸王别姬》中的剑舞、《麻姑献寿》中的袖舞等,令人叹为观止。

在京剧音乐上,梅兰芳编制了大量新颖独特的唱腔,创造了自己流利甜美、明朗圆润的演唱风格。在几十年不懈的努力和追求之下,梅兰芳的表演艺术达到了炉火纯青的地步。他的"梅派"表演体系与前苏联的斯坦尼斯拉夫斯基体系、德国的布莱希特体系并称"世界三大表演体系"。

梅兰芳是怎样成功的呢?

八岁的时候,梅兰芳开始学戏了,学的是旦角。男孩子学旦角,扮演女角色,唱、念、做,都要模仿女性,用假嗓唱、假嗓说,这就需要刻苦练习。

一开始他的天赋条件并不好。有时候一出戏,老师教了多时,他还没有学会。有一次,一位老师见他学得慢,生气地说:"你不行,祖师爷没给你这碗饭吃!"

梅兰芳脸红了,他下决心一定要学出个样来。于是,他用心琢磨、反复学。一段唱,一般唱六七遍就会了,他却要唱二三十遍。渐渐地,他练出了一条又宽又亮又圆润甜美的好嗓子,唱出来让人特别爱听。

梅兰芳小时候,眼睛有点近视,眼皮下垂,眼珠也缺少神气。而旦角在台上的眼神特别重要。怎么办呢?后来他养了几只鸽子,每当鸽子飞起来后,他就用眼睛随着鸽子飞翔而转动,越望越远。这样天长日久,他的眼睛毛病没有了,变得特别有神,直到老年在舞台上演出,还是光彩照人。

梅兰芳曾入"云和堂"学戏,拜吴菱仙老先生为师。吴先生对梅兰芳的要求很严,有时还采取十分严苛的训练方法,但梅兰芳总是按老师要求的那样努力完成练功任务。当时,吴先生最厉害的一手是跷功。他搬来一条板凳,上面放着一块砖头,让梅兰芳脚踏两根半米多长的高跷站在砖头上,并要求站一炷香的工夫。起初,梅兰芳站上去总是战战兢兢,不到几分钟,就腰酸脚疼支撑不住了。可他刚跳下来,又必须马上再站上去,因为一炷香烧不完,是不准下来休息的。为了练出过硬功夫,梅兰芳的腿都站肿了。

经过一段基本功训练,梅兰芳的跷功有了很大长进。但他没有满足,又积极主动地设法增加训练难度。冬天到来的时候,他在庭院里找块地方浇了一个冰场,冰面光洁如镜,人走上去都免不了摔跤。可梅兰芳偏偏要踏上高跷,到冰场上去跑圆场。高跷本来重心就高,支撑面又很小,再加上冰滑,梅兰芳经常摔得身上青一块紫一块的。吴先生看了有些怜惜和心疼,就对梅兰芳说:"休息几天再练吧!"梅兰芳却坚决地说:"先生,您不是常常说,练功练功,一日不练三日空吗?"

冰上踩跷的功夫,使梅兰芳受益甚大。他晚年时曾多次说过:"幼年练跷功,颇以为苦,但使我腰腿力量倍增。我在六十多岁时仍然演出《醉酒》、《穆柯寨》一类刀马旦戏,就不能不说是当年严格训练跷功的好处。真可谓'不受一番冰霜苦,哪得梅花放清香'啊!"

梅兰芳打下了深厚的艺术功底,把传统剧目演得十分出色,得到了观众的承认,但是他并不满足。

"我们要创新,演新戏。"他说,"我看了新兴的话剧,话剧的剧目很多是反映现实的。我想京剧也可以这样做。"

时装戏,就是描写现实生活的戏。因为演员要穿现实生活中的服装上场,京剧传统的表演方法用不上了,需要用新的方法演。而且在化妆、道具上,男演女的困难更大了。梅兰芳知难而进,很快排练出《孽海波澜》、《邓霞姑》、《一缕麻》、《童女斩蛇》等戏,上演了。

梅兰芳为京剧演现代戏开出了一条路。他又集中精力编演古装戏。传统京剧在旦角化妆上存在许多问题,因为大都是男扮女,在发式、服装、扮相上缺乏女性特点,而且缺少舞蹈,舞台效果差。梅兰芳在朋友们的帮助下,排练了大批新戏。在这些新戏中,他扮演的古代妇女,头饰变了、服装变了,扮相也十分美观。

不仅如此,梅兰芳还为许多角色设计了舞蹈。如《天女散花》中的长绸舞,《霸王别姬》中的剑舞,《西施》里的羽舞,《太真外传》里的盘舞,《嫦娥奔月》里的花镰舞,《廉锦枫》里的刺蚌舞,等等。从此,载歌载舞,声情并茂,绚丽多彩,成了梅兰芳演戏的突出特点。

人生箴言

> 路曼曼其修远兮,吾将上下而求索。
>
> ——屈原《离骚》。

成长启示

尽管道路漫长而遥远,我还是要为追求真理上天入地去探求。

国画大师张大千

张大千是我国近代书画诗文四绝的一代艺术大师。他的画，被徐悲鸿誉为"五百年来第一人"；他的书法，潇洒流畅、遒劲挺拔、别具一格，是卓越的书法家；他的诗文，直追盛唐隆宋，清雄豪宕、恬适醇美、韵味无穷。黄苗子先生回忆说："大千题跋不起稿，也不大改的，常常信手写来，令人拍案叫绝。"

张大千毕生献身于艺术事业，为发扬光大中国传统文化艺术作出了卓著的贡献，被誉为"当今最负盛名的国画大师"。

早先在北平时，张大千画了一幅《绿柳鸣蝉图》，送给号称"吉林三杰之一"的名收藏家徐鼐霖。该画画了一只大蝉卧在柳枝上，蝉头朝下，作欲飞状，画出了蝉的神气与柳枝的飘摇，十分生动可爱。徐鼐霖得到此画后，很是珍爱，特意拿去找齐白石，欲请齐在画上题首诗，以将此画作为徐家的家传至宝，子孙永远藏之。

谁知齐白石细瞧了一番此画后，却说："大千此画谬矣！蝉在柳枝上，其头永远应当是朝上的，绝对不能朝下。"

自然，这诗是题不成了，徐鼐霖把画拿了回来，并把齐白石的意见给张大千讲了。

张大千当时听了，心中并不服气，但这事他仍一直记在心底。后来，抗战中他回到四川，住在青城山上。有一年夏天中午，居处附近的蝉声聒噪得甚是厉害，张大千与其子心智，还有画家黄君璧，一块儿跑出去察看。只见几棵大树上，密密麻麻趴满蝉，绝大多数蝉都是头朝上,只有少数的蝉头朝下,而附近几株柳条上的蝉,却均是千篇一律地头朝上。张大千这时想起白石老人的话,大为感佩,却还未完全明白这其中的道理。

抗战胜利后,张大千回到故都,专程去向齐白石请教这个问题。齐白石说:"画鸟虫,看似貌不起眼,但必须要有依据、多观察,方能不致闹出笑话。拿蝉来说,因其头大身小,趴在树上,绝多是头在上身在下,这样可以站得牢。如果是在树干上,或者是在粗的树枝上,如槐树枝、梨树枝、枣树枝之类,蝉偶而有头朝下者,也不足奇。因为这些树枝较粗,蝉即使是头朝下,也还可以抓得牢。但是,柳树枝就不同了,因其又细又飘柔,蝉攀附在上面,如果是头朝下身在上,它就会呆不稳了。所以,我们画一张画,无论是山水人物还是花鸟虫兽,都必须要有深刻的观察体会,然后再动笔。这样,才能充分表现出所画对象的真实姿态,和它们栩栩如生的气韵风格。否则,画出来的必然不像,与现实的不合,这就叫欺世不负责!大千先生,你说是不是这样呢?"

张大千听了齐白石的这一席话,真是佩服得五体投地。他觉得白石的这种认真细致的敬业精神与踏实作风,正是白石的画能得到雅俗共赏、老幼喜爱的"奥秘"之一,自己要好好学习。

从此之后,张大千把"格物致知"奉为圭臬,非对作画的事物对象有了透彻的了解,就绝不轻率落笔。

张大千平生广游海内外名川大山,对景写生,推陈出新。民国时期,他几乎游遍国内主要名胜。无论是辽阔的中原、秀丽的江南,还是荒莽的塞外、迷蒙的八桂,无不留下他的足迹。他在一首诗中写道:"老夫足迹半天下,北游滇渤西西夏。"20世纪50年代,张大千先后在香港、印度、阿根廷、巴西、美国等地居住,并游遍欧洲、北美、南美、日本,朝鲜、东南亚等地的名胜古迹。所到之处,他都写了大量的记游诗和写生稿,积累了取之不尽、用之不竭的创作素材,同时为他日后艺术的创新创造了良好的条件。

20世纪五六十年代,正当人们认为中国画已穷途末路之时,张大千在海外异军突起。他根据自己长期的艺术实践,兼摄世界美术之长,创造了影响深远的大泼墨、大泼彩技法,不仅为中国画的表现开辟了新的道路,而且显示出他在驾御笔、墨、色,及水、纸方面已达到出神入化的境地。有人评价说:"国画家能够上承古代美术遗产,兼摄世界美术之长,使国画的技艺、境界向上延伸一步,到今天只有张大千。"

人生箴言

以修身自强,则名配尧禹。

——《荀子·修身》。

成长启示

通过品德修养达到自强,则名声可与古代圣尧、禹齐名。

郭守敬求真务实

1970 年,国际天文学会命名月球背面的一个环形山为"郭守敬山";1977 年,中科院紫金山天文台用"郭守敬"命名了一颗新发现的小行星;1985 年,河北邢台建立了郭守敬纪念馆及其 4 米高的铜像。

郭守敬,号若思,1231 年出生于顺德邢台(河北邢台)。其父郭荣学识渊博,对数学和水利都有研究。

郭守敬小的时候非常喜欢读书,注意观察自然现象。为了丰富他的知识,祖父让他拜当时的学者刘秉忠、张文谦为师。

郭守敬少年时代,对天文学极感兴趣,自己用竹篾制作了浑天仪,每天观测星星的位置,摸索它们的运行规律。

郭守敬 20 来岁时,在家乡参加过一项水利工程。邢台城北有条叫达活泉的河上,原有一座石桥,金元连年争战,堤堰失修,石桥被淹没。郭守敬仔细查勘了河道上下游的地形,确定了旧桥的位置,居然真的在那儿挖出了被埋没的旧桥石基。

1262 年,忽必烈在上都(内蒙古正蓝旗闪电河北岸)召见了郭守敬,他面陈水利六事。忽必烈深为赞赏,让他提举诸路河渠,第二年又升为副河渠使,后又升为都水少监、工部郎中。

郭守敬在任上除对黄河做了较为全面的考察外,还勘察治理过大小河渠泊堰数百处。在实践中,他首次发现并运用地形的"相对高度"这一科学概念而施之以治水工程。

1276 年,元朝建立后的第六年,元世祖忽必烈令郭守敬等人修制新历法。郭守敬从研制天文仪器开始,一连造了 12 种仪器。

郭守敬造的仪器,把古代的"浑天仪"那繁杂的构造简化了。原来的仪器为一个球面空间内包含有 18 个大小不同、各环相互交错的圆环,这就时常遮掩了被观察的星体。郭守敬对以往的圆环只保留了 3 个主要部件,调整了各环装置,使观察时整个天空一览无余。在这个仪器上还发明了滚珠轴承。

为了制定精密的历法,郭守敬在全国范围内设立了 27 个测影点。在阳城,他设计建造了我国现存历史最早的古天文台,即登封观星台。

这次大规模的测量,北到西伯利亚,南至南中国海,南北一万多里;东起朝鲜半岛,西抵川滇及河西走廊,东西五千多里。测得的当地纬度、夏至日影长度、昼夜时刻数都非常准确,与现在公历的数据基本吻合。

1280 年 7 月,郭守敬用各地报来的数据经两年的计算编制,终于修成新历法《授时历》。

《授时历》计算出一年为 365.2425 天,和地球公转周期只差 26 秒。

郭守敬在天文历法方面的著作有 14 种,105 卷,他的主要成就就在这方面。

除了精通天文历法外,他在地理、数学等方面的工作也卓有成效。他的另一特长——水利工程设计,后来又发挥了一次作用。

1291 年,忽必烈重新设置都水监,由郭守敬负责。郭守敬又陈述水利十一事,其中最重要的是修筑通州至大都(北京)的运河。

元以前的南北大运河,向北通到通州就完了。这样一来,江浙的物资要想运到大都还得倒腾一段旱路,十分不便。

郭守敬查勘了地形后发现,在这个区段凿运河最大的困难是水源不足。他发现昌平东南山下有一条白浮泉可做水源,但需改变其流向,还需于沿途控制水量。经过郭守敬几度认真勘测,根据这一带的地形,选定了运河走向,逐段筑坝设闸,控制水量。不到两年,这段全长160里的运河工程完工了。南方的运粮船从此可以直到大都,忽必烈命名这条运河为"通惠河"。

人生箴言

> 老骥伏枥,志在千里;烈士暮年,壮心不已。
>
> ——曹操《龟虽寿》。

成长启示

千里马虽然老了,呆在马厩里,但它还是想着驰骋千里;有远大志向的人即使老了,他的雄心壮志仍然不会消失。

萧何勤政为国

萧何是西汉初年名相,也是汉初三杰之一(另外二杰为张良、韩信),江苏沛县人,早年曾任秦沛县狱吏。公元209年他随同刘邦起兵,攻克咸阳后,诸将全都忙于争夺金银财宝,萧何却视金钱如粪土,忙于收集秦丞相、御史大夫府所藏的律令、图书,这使刘邦得以掌握全国户口、民情和地势,对日后制定政策和取得楚汉战争的胜利起到了重要作用。

刘邦被封为汉王后,萧何劝说刘邦以巴蜀为基地,与民休息,招纳贤才,然后还定三秦,再与项羽争夺天下,并推荐韩信为大将军。楚汉战争时,萧何以丞相专任关中事,他侍从太子,为法令约束,使关中成为汉军的巩固后方。楚汉相持于荥阳、成皋时,刘邦屡遭挫败,死伤惨重,军中缺乏现粮,萧何及时调遣关中兵卒驰援,并转漕运供给军用,保证了前线兵员粮饷的供应,促使战局发生了根本转机。因此,刘邦称帝后,以萧何功劳最高,位次第一,食邑八千户,分封其父母兄弟十余人以食邑。

在辅佐刘邦打天下、建立刘汉王朝的过程中,萧何"镇国家,抚百姓,给馈响,不绝粮道",在百姓和军士中有着很高的威望。刘邦嘴上称萧何"功不可望",但心里对忠心秉正的萧何总是心怀猜疑,担心萧何威信太高而威胁到自己的皇位。

萧何看出了汉高祖刘邦的心思,就把家族中的很多子弟送到刘邦帐下听用,一是避近亲之嫌,二是取得刘邦的信任。刘邦也因此减少了对萧何的猜疑。

这时,许多好心的亲朋再三提醒萧何,不要再勤勤恳恳为民着想、为民办事,以免刘邦认为他是在取信于民,图谋不轨,最后像韩信那样遭受灭族之灾。萧何这才不得不像贪得无厌的地主,故意挖空心思多弄些土地,低价购进,强赊慢还,人为地造成一些坏名声,好让刘邦放心。刘邦见萧何只注意一些小利,没有把心思用在夺权上,心里暗暗高兴。

刘邦死后,萧何仍以国事为重,并一心一意辅佐惠帝刘盈执掌朝政。萧何临终前,惠帝欲选丞相,征求萧何意见:"曹参怎么样?"曹参是武将出身,战功卓著,封赏多在萧何之下,对萧何非常不服,也常有针对萧何的怨言。但萧何出于忠心,虚怀若谷,顿首说:"皇上以曹参为相,萧何死了也无遗恨了!"

人生箴言

> 但令身未死,随力报乾坤。
>
> ——文天祥语。

成长启示

只要我还没有死去,我就尽我最大的努力报效祖国。

第四章
打起精神迎送世界的精彩

世界的精彩与无奈，让我们不免产生精神疲倦，时常叹息人生无常，岁月无情，时常叫嚷"活得累"，"没意思"。

其实，生活不可能处处是诗，天天是歌。生活有最寻常最朴素之处，要你用心去体味去感受。

活着是要有点精神的，那种昏昏欲睡、无精打采的活法是苟活。活要活得信心百倍，精神抖擞。

打起精神，我们如负重荷、块垒堆积的心境会为之释然；我们茫然无主、游离失神的目光会为之一亮；我们就会在连天阴雨中听到雨打芭蕉、莲荷坠珠的清音，我们就会在荒郊野村中也能看到花红柳绿、小桥流水的韵致。

有了好精神，我们总能发现许多未曾发现的美好，哪怕是在极其平淡无奇的地方，也有值得我们关注、凝神的风景。这取决你有没有生活的情趣，能不能抓住动人心弦的兴奋点。

有些人在人群中平凡得无人喝彩，有些人已是年纪老了，再不能横刀立马,战天斗地,但不让一日闲过的好精神好心情,让他们照样活得生趣盎然。

生活的要义在于,我们无法一生辉煌,但可以天天精彩。以一颗慧心来对待一天的生活,将生活生动起来,将人生丰富起来,手法有时是那样简单,写一幅书法,做一个动人的设计,一种诱人的工作安排,一个快乐的休闲假日,便让你顿感人生的美丽。原来一切美好的东西,都握在自己手上,活在自己心中。

人生是一种技巧和艺术,是精神和心情写就的生命篇章。一个人若能打起精神来,有个好心情,那他的脊梁就不会因重负而弯曲,脚步就不会因坎坷而徘徊,生命也就因此有了阳光灿烂,鸟语花香。

就人生而言,总是从平坦中获得的教益少,从磨难中获得的教益多;从平坦中获得的教益浅,从磨难中获得的教益深……因此,若想做一个非常平凡的人,则是磨难少一些更好,若想做一个出类拔萃的人,则不妨多经历些磨难。

——读书札记

在担架上指挥千军万马

罗荣桓是新中国的开国元帅之一,他一生战功无数,在艰苦的战斗生活中,他拖着病体为国为民无私地奉献着。

因为生病,他不能行走,不能骑马。为了指挥对敌斗争,他就躺在一副担架上工作。有时他夜里也不离开担架。到了宿营地,大家要把他从担架上扶至炕头,他摇摇头说:"不用了,抬上抬下麻烦,遇到紧急情况,还容易误事。就把我连担架一起抬上炕吧,晚上加条被子就行了。"

担架便是罗荣桓的指挥部。在战火纷飞的军事前沿,多少会议在他的担架旁召开,多少战斗命令从他的担架上发出。

然而,对于他多病的身体,身边的人忧心忡忡。一天,在山东军区工作的奥地利医生罗生特来到罗荣桓的住处,郑重地向罗荣桓指出:"政委同志,我以一个医生的身份请你——一位重病号,每日至少休息五小时。"

罗荣桓笑笑,说:"谢谢你,医生,不过我习惯了。"说完,又进入了顽强的工作状态。

可罗生特不罢休:"政委同志,我是个医生,从奥地利来到中国的抗日战场,我不能看着一位中国共产党的领导同志病重不治。"

"罗生特同志,我很理解你,但问题在于我的身体已经很好了。"

"不不不,你在担架上看文件、写文章,彻夜不休息,你的病情没有好转。按照我们医生的习惯,对付这种病号的最好办法是:取消他一切工作的权利。"

罗荣桓没有听从医生的意见,反而做起了医生的思想工作:"罗生特同志,你对中国目前的情况是非常了解的。我们民族正处在空前的苦难之中,人民和他们的战士都在浴血奋战,我是他们的领导人,在他们流血牺牲的时候,又怎能躺在医院里呢?我们都是共产党员,请你就像理解一个普通的中国战士那样理解我的心情吧!"

罗生特被这位坚强的斗士惊呆了,他立在台阶上站立了许久……

人生箴言

欲穷千里目,更上一层楼。

——王之涣《登鹳雀楼》。

成长启示

要想看到更远的地方,必须登上更高的一层楼。

郭子仪单骑赴敌

郭子仪为唐中晚期李氏王朝的一个擎天大柱,是他支撑着一个风雨飘摇的末代王朝。

唐代宗永泰元年(765 年),叛将再次引诱吐蕃、回纥(今维吾尔族)、党项等部共三十万人,入侵长安京都地区,朝野大惊。代宗急忙遣兵调将,仓促应战,急召郭子仪来守卫京都,但兵将只有一万人。到达前线时,形势已万分危急。郭子仪亲率骑兵两千,来到敌军阵前叫战。回纥大将药葛罗心存疑问,让部下探听,阵前的郭令公是真是假。经探听果然是真。药葛罗很是懊悔:"我们受人挑唆,说唐代宗和郭令公都已去世,中国大乱,我们才跟随而来。今郭公健在,不知代宗如何?"探听后又报:"天子万寿!"

这边郭子仪得悉后即派使者去回纥营,还写了封信给药葛罗:"过去唐军与贵军协同作战,收复长安和洛阳,我们同甘共苦。现在你们背弃友好,太愚笨了。"药葛罗回答说:"叛将说令公已去世,不然的话,怎能造成这个局面! 令公既然健在,我能不能亲眼见一见?"郭子仪见药葛罗心中疑窦未消,决定去回纥军营会见。左右劝阻说:"其言不可信。"郭子仪对手下的人说:"今敌军超过我们十余倍,力不能敌,我去对他们晓以利害,进行说服。"

出营时,郭子仪只带了几十个骑兵随从,一路传呼:"郭令公来了!"回纥将士披金带甲,弯弓持箭,战斗一触即发。郭令公斥退从骑,脱去头盔,见药葛罗说:"我们共同经历患难已很久了,诸位为何忘记了忠实的友谊,到了兵戎相见的地步。"药葛罗仔细观察,来者果真是郭大将军,连忙扔掉手里兵器,下马拜道:"这是真的郭令公,是我们的父亲!"他的贴身随从也随之下跪,士兵们也自动收起刀箭。

郭子仪请药葛罗到自己的军帐中宴饮,盛赞回纥骑兵英勇善战,过去每次作战时都安排他们进行突袭,使安禄山的叛军闻风丧胆。药葛罗过去曾随父兄援助唐朝,亲眼看到郭令公雄才大略,恪守信义,赏罚分明,对他由衷敬仰。今日重新聚会,有说不出的高兴。双方互换礼品。临别时郭子仪愤慨地说:"吐蕃与唐本是甥舅之国,我方并未失约,而对方兴兵侵犯,到处抢掠,你们若反戈一击,与唐朝仍修好如初,岂不是两全其美!"回纥众将欣然答应。

吐蕃军闻知唐与回纥修好,连夜仓促撤军,因所带战利品太多,牛羊行走很慢,在灵台被截杀。双方展开血战,回纥骑兵骁勇善战,唐军为保卫家园而战,人人争先。吐蕃军兵败如山倒,十万军士一半被杀,被俘有一万人。所掳掠的青年男女也乘机逃回,联军大胜而归。

为了保持唐与回纥的友好,以便对抗强敌吐蕃,郭子仪建议每年从回纥购马万匹,使之有利可图,同时唐军也需要补充军马。从此,回纥与唐世代结盟。

人生箴言

少年易老学难成,一寸光阴不可轻。

——朱熹《劝学》。

成长启示

> 青春年华很容易就消逝了,可学问上要想取得成就却很难,因此,应该珍惜每一寸光阴。

敢于碰硬的将军

郭晞是唐代名将郭子仪之子,他拥兵邠州,倚仗父亲威望,为害乡里,当地百姓深受其害。而泾州刺史段秀实对此很是痛恨,正直的性格令其难以容忍此事。他主动求见邠宁节度使白孝德说:"郭晞部下扰民之事,白大人可曾知晓?"

白孝德愁眉苦脸:"郭家父子惹不起啊!"

段秀实说:"此地是边防前线,如兵骄民危,必将危及国家安全,白大人还是要及时制止!"

白孝德说:"白某我也忧心忡忡,但苦无良策呀!"

段秀实道:"在下正是为此事而来,只要大人能委任我为都虞侯(掌管军纪的官员),可望解决!"

白孝德转忧为喜:"段将军足智多谋,那就按尊意办吧!"

一日,段秀实率执法兵巡街,见郭营士兵十七人正在一家酒店里胡作非为,用刀砍伤卖酒翁,砸烂酒器。段秀实下令将所有滋事兵卒逮捕,依法惩处。市民们暗暗拍手称快,但又担心事情越闹越大,殃及自家。

郭营士兵闻听此事欲要报复,段秀实决定亲往处理此事。白孝德感到太冒险,要他选一些精兵做护卫。段秀实说带护卫是多此一举,随即解下佩刀,选了一名又老又瘸的人给牵马,来到紫微山郭烯军营。只见门前军旗飘扬,士兵铠甲鲜亮,刀光闪闪,从营门排列到帅幕前。段秀实佯作不以为意,一边往里走,一边笑着大声说:"杀我这么个老兵,何必披挂布阵呢?!"郭营士兵都吃了一惊,段秀实乘机大声责问:"你们为什么祸害郭家? 是郭尚书亏待你们了吗?"士兵们惊呆了:这个老头面无惧色, 开口就训人, 定大有来头。

郭烯心中纳闷,本想用此阵势给段秀实一个下马威,结果反被对方击中要害,连忙出帅帐相迎。段秀实一见郭烯便开口责问:"这些年来,在平定内乱和抗击外敌的战争中,郭元帅功劳最大、威望最高、对朝廷最忠诚,尚书大人应爱护郭家荣誉。"郭烯自知理屈,连忙趋前赔罪,并下令:"兵将立即解甲,各归营房!"

之后,段秀实先说事出仓促,还未吃午饭就来军营了;吃了饭后又说老病复发,无法动身,让又老又瘸的侍从牵马回去,次日来接他。段秀实留在军中暗地观察军中动静,确认无事后方才离去。自此,那州百姓又过上了平静的生活。

人生箴言

> 十年窗下无人问,一举成名天下知。
>
> ——刘郊《归潜志》。

成长启示

长年闭门苦读,无人问津,一旦成功出名则天下尽知。

关汉卿鸣冤

关汉卿是我国古代伟大的剧作家,一生创作了多部剧本,流传影响深远。而他与朱帘秀的韵事也让后人津津乐道。

有一次,关汉卿随戏班来到杭州。杭州为南宋故都,店面繁荣,人文荟萃,聚集了不少文人雅士。安顿住处后,关汉卿走进朱帘秀房内,手拿一个剧本与她商量:"我新近写成一部戏,不知你敢演不敢演?"朱帘秀听话中有话,答道:"先生何出此言!帘秀能有今日,多蒙先生提携教诲。《望江亭》巧斗衙内的谭记儿,《救风尘》智勇双全的赵盼儿,《金线池》敢爱敢恨的杜蕊娘,先生所写的角色,我哪个不敢演?"关汉卿说:"这出戏我早就想写。去年在扬州,我看了一场王实甫写的公案戏《厚阴德于公高门》,是根据《汉书·于定国传》所记'东海孝妇'的故事改编的。此戏文虽文辞优美却脱离实际,一味唱和时政,却不针砭官府政令,令人颇感失望。"朱帘秀见封面写着"感天动地窦娥冤"七个大字,心中一惊,知道这戏不简单,便道:"先生的本子放在这里,我先看看再说。"

当晚,她挑灯夜读。剧中窦娥三岁丧母,七岁被父亲窦天章卖给蔡婆当童养媳,十七岁完婚,当年丈夫不幸病故。登场亮相时已是寡妇,为人极贤惠孝顺,婆媳相依为命。地痞张驴儿觊觎蔡婆家产,借机要挟,搬进蔡家赖吃赖住,父子二人妄图霸占两个寡妇。窦娥坚决不从,张驴儿恶毒报复,本想药死蔡婆,结果阴差阳错,误毒杀自己的父亲。他继续耍赖,威逼窦娥成婚,否则告到官府反诬她与蔡婆毒死张老。窦娥毫不屈服,天真地指望官府能查清真相,将她从泼皮手中救出。谁知贪官见钱眼开,不问青红皂白,将两个弱女子严刑逼问。善良的窦娥为使年迈的婆婆免受拷打,含冤屈招。

朱帘秀看罢剧本,不觉泪如雨下,这部戏使其联想到自己的身世,她不禁拍案叫绝,尤其那两句窦娥临刑前的唱词,更令她感动、悲愤——"为善的受贫穷更命短,造恶的享富贵又寿延。天地也,做得了怕硬欺软,却原来也这般顺水推船。地也,你不分好歹何为地? 天也,你错勘贤愚枉作天。哎,只落得两泪涟涟。"朱帘秀看完剧本,思绪联翩,久不能寐,心想:自从艺以来,还没见过如此感人的剧本,豁出命我也要演好窦娥,才不辜负关老师一片苦心! 又想:这样痛骂贪官污吏的戏,恐怕真会招来杀头之罪;本朝刑法有一条:撰词恶言犯上者,处死。我死不足惜,连累老师万万不能! 她左思右想,兴奋得一宿未眠。次日天亮,她赶紧去找关汉卿商量。关汉卿欣然接受她的建议,对剧本作了一些修改。公演那天,勾栏看席爆满。

关汉卿仗义执言、借古喻今的勇气,以及朱帘秀深明大义、敢做敢为的魄力,令后人钦佩。

人生箴言

学无早晚,但恐始勤终随。

——张孝祥《勉过子读书》。

成长启示

学习没有早晚,只怕开始时勤奋,后来懈怠。

义士刘敏元

刘敏元,西晋怀帝、慈帝时人,字道光,北海(今山东潍坊)人,官至中书侍郎、太尉长史。

西晋"八王之乱"期间,晋国吏治凋敝,又加上天灾,整个国家陷入了水深火热之中,流亡百姓数不胜数,到处是"白骨露于野,千里无鸡鸣"的惨状。

难民潮中,有一队从山东方面逃出来的难民,在衣衫褴褛的乱哄哄人群里,有一个汉子,搀扶着老汉,步履蹒跚落于人后。

"敏元,你就别管我了,快自个儿逃命去吧。我已经够连累你了!"老汉对汉子说。

刘敏元取下背上的宝剑和包袱,拿在手上,往路边一蹲:

"来吧,大爷,我背你一程!"

"使不得使不得!"管平老汉指指敏元手里的包袱,"你负担已经不轻了。"

天慢慢黑将下来。两人好不容易挨蹭到破庙门口,刘敏元把管平老汉安顿好,准备去乞讨一点吃的来。正要转身离开,"轰"的一声,路边林子里窜出一伙强盗。难民们抛下手里的东西,吓得四下逃散。刘敏元眼疾手快,拉起管平老汉,一头钻进林子,等他跑了一气,觉得已经脱离危险时,却发觉老汉没有跟上来。

"糟了!"刘敏元停下脚步来。一些从身边跑过去的好心人提醒他:"强盗追上来了,还不快跑!"

刘敏元说:"不行呀,我把老汉给丢了!"

于是,他又返回了空地中。

刘敏元定定神,走上前去向一个首领模样的强盗拱拱手:

"请壮士手下留情。这老汉怪可怜的,活不了多少日子了。你们若要杀他,请允许我代他去死!"

强盗首领感到十分诧异,打量了一阵刘敏元问:

"这老头是你什么人?"

刘敏元说:"只是同乡而已。"

强盗中有个家伙打断刘敏元,睁大眼睛,恶狠狠地说:

"不用你来操心,这老头我们杀定了!"

刘敏元刷地抽出剑来,对那强盗说:

"我今天压根儿就不想活了。但我要先宰了你,然后死在诸位面前!"说着他挥舞宝剑,拿出要拼命的架势来。

"二位快把手里家伙给我放下!"首领喊道,"你呀,真是位义士,我服你了! 可你要是伤害了他,也就犯义了。好了,你快把老头带走吧!"

刘敏元以义行流芳后世,成为一段佳话。

人生箴言

欲穷大地三千里,须上高峰八百盘。

——刘过《登白云绝顶》。

🕊 **成长启示**

> 想要把天下各个地方一览无余,就要盘盘绕绕,直至登上最高的山峰。

大泽乡起义

陈胜又叫陈涉,是阳城(今河南省登封县东南)人。吴广又叫吴叔,是阳夏(今河南省太康县)人。陈胜出身贫贱,给地主家做雇农。艰苦的生活造就了他吃苦耐劳、坚忍不拔的品德,年轻时他就怀有大志,不甘平凡。有一天,陈胜和伙伴们在地头歇晌,他感慨地对大伙儿说:"咱们将来谁要是得了富贵,可别忘了今天的穷朋友啊!"大伙儿听他这么说,禁不住都笑起来说:"陈胜啊,你给人家当雇农,连锄头犁杖都不是你自己的,哪儿来的富贵呀?"陈胜长长地叹一口气说:"嗟乎,燕雀安知鸿鹄之志哉!"

陈胜对自己的遭遇一直愤愤不平,可更不幸的事情落到了他的身上。他和吴广以及其他的穷苦农民一共九百个人,被秦二世征发去渔阳驻防。渔阳在遥远的北方,离陈胜、吴广的家乡有上千里路。这九百人被征集到一起以后,陈胜、吴广被指定为屯长,由两名军官押送,没日没夜地向渔阳方向赶路,生怕误了规定的日期。那时候正是夏天,雨水很多,道路泥泞。他们走到蕲县大泽乡的时候，大水淹了道路，冲毁了桥梁，无法通行，无论如何也不能按期到达渔阳，已经犯下了杀头之罪。

陈胜、吴广商量怎么办，陈胜说："如今要是逃走，给抓回去也是死；起来造反，夺不到天下，顶多也是死。同样是死，还不如为争夺天下而死呢！"吴广问："造反怎么个造法呢？"陈胜说："造反要争取天下老百姓的支持才行。秦始皇的公子扶苏和楚将项燕威信都很高，他们虽然已经死了，可很多百姓还不知道，咱们以他俩的名义号召天下，反对秦二世，准定会有许多人起来响应我们，这样一来，大事可成。"

吴广非常赞成陈胜的想法，两个人商量了一阵子。因为当时人们迷信鬼神，想要号召群众起来造反，除了假借扶苏和项燕的名义以外，他们还利用装神弄鬼一类的办法，取得了群众的信任。他们拿了块白绸条，用朱砂在上面写了"陈胜王"三个大字，把它塞在一条人家网起来的鱼的肚子里。

第二天，火夫上街买鱼回来，剖开一条大鱼的时候，在鱼肚子里发现一块绸子，绸子上用朱砂写着"陈胜王"三个大字。这可是一件新鲜事儿，大伙儿一下子就传开了，都认为这是老天爷的旨意，原来陈胜是个真命天子呀！到了晚上，忽然有人看到破庙那边的草木丛中，闪烁着忽明忽灭的鬼火，并且还隐隐约约地听到了狐狸的叫声："大楚兴，陈胜王。""大楚兴，陈胜王。"这事也一下子传开了。大伙儿又害怕，又奇怪。

第二天清早起来，大伙儿都指指点点地来看陈胜，越看越觉得他的确长得与众不同，是个真命天子的相貌。陈胜、吴广利用迷信，居然在群众中造成了当领袖人物的舆论。吴广平日的人缘最好,大伙儿都能跟他合得来,愿意为他奔走效劳。他和陈胜带领了一大帮人,趁着押送他们的军官喝醉了酒,故意跑去要求军官放他们回家。军官一听,又急又气,先打了吴广几鞭子,接着又拔出剑来要杀吴广。大伙儿一拥而上,帮助吴广抵抗军官。吴广倚仗人多势众,一个箭步蹿上前去,夺过军官手中的剑,一剑把军官刺死了。陈胜趁机把另一个军官打翻在地,也一剑结果了他的性命。

陈胜、吴广杀死了军官,大伙儿扬眉吐气,感到十分痛快。陈胜把大伙儿召集起来,大声地说:"弟兄们! 咱们遇上了大雨,已经不能如期赶到渔阳了。按照法律,误期的就要杀头。即使能够饶了咱们的命,可是屯驻边防的人,到头来十有六七都是要死。反正是个死,男子汉大丈夫不死则已,死就得有个名堂。那些骑在咱们脖子上的王侯将相,难道都是天生的贵种吗! 难道我们天生就是贱命吗! 我想领大家造反,去讨伐那昏庸的皇帝,推翻那腐朽的朝廷!"大伙儿听了陈胜慷慨激昂的话,都大声说:"你说得好! 我们听你的!"

陈胜、吴广看到大伙儿都很齐心,就决定立即起义。他们派一部分人上山砍伐树木、竹竿作为武器;派一部分人用泥土垒个平台,作为起义誓师的地方;还做了一面大旗,旗上绣了一个大大的"楚"字。一切都准备好了,陈胜、吴广领着大伙儿脱下一只衣袖,露出右臂宣誓。他们俩顺应广大老百姓拥护公子扶苏和楚将项燕的心情,假称奉了扶苏、项燕的号令起兵。大伙儿公推陈胜、吴广做首领。陈胜叫人把两个军官的脑袋割下来祭旗,他宣布自己的称号是将军,封吴广为都尉。很快,九百人的起义队伍就攻占了大泽乡。

人生箴言

盛年不重来,一日难再晨。及时当勉励,岁月不待人。

——陶潜《杂诗八首(其一)》。

成长启示

年富力强的时期一去不复来,一日之中没有两个早晨。抓紧时间努力,岁月不会等人。

陈寿千里求师,燃麻烧发

陈寿是西晋时期的著名史学家,名著《三国志》的作者。他出生在三国时期,从小接受过良好的家庭教育。五岁时,父亲就教他读书写字,陈寿天资聪颖,勤学好问。十岁时,就读完了家里所有的藏书。在离他家很远的地方——南充县有个叫谯周的老师,他对孔夫子的学问很有研究,是当时首屈一指的儒学大师。他开办了一所闻名天下的学堂,陈寿想到那儿去求学,父母不放心让一个年幼的孩子去那么远的地方上学,可经不住陈寿的苦苦央求,终于答应了。陈寿背上简单的行李,带上干粮,沿着嘉陵江不停地走啊,走啊……饿了,吃口干粮;渴了,喝口江水;累了,舍不得坐下来休息,一心想快点到达目的地。经过十多天的辛苦跋涉,终于到达南充,找到了让他朝思暮想的老师。

谯周见陈寿是个十几岁的小孩子,心想:到我这里来求学的人都是二十多岁的成年人,这个小毛孩子若是贪玩,不能坚持学习,岂不有损学堂的名声? 于是他就连哄带劝地对陈寿说:"你太小了,先回去,过几年再来,好吗?"

陈寿一听,连忙上前哀求:"老先生,请您收下我吧! 别看我年岁小,可我已经读完了《诗经》《礼记》《春秋》……难道还没有资格当您的学生吗?"

谯周听陈寿说读了这么多的书,有点儿不信,就出了几道题考考他。没想到,陈寿竟对答如流,谯周非常惊讶,见陈寿虽然年幼,但却聪明伶俐，一下子就喜欢上了他。可想到他的年龄实在太小了，就又犹豫起来，半晌没有说话。陈寿见老师不说话，急忙走到老师跟前，抬起脚对他说："先生，我为了到您这儿来读书，在路上走了十几天，鞋底都磨穿了，您一定得收下我呀！"

谯周低头一看，只见陈寿的鞋底果然被磨穿了，脚也磨破了皮，还有几处结了血痂。他被这位少年顽强求学的精神所感动，一把拉住陈寿的小手说："好吧！先试试看。"

从此，在谯周的学堂里多了一张稚嫩的面孔。谁曾想就是这个年龄最小的学生，竟然成了谯周最得意的弟子。难怪谯周老师逢人便夸："孔子弟子三千，贤人七十二，我几十个学生中出了个陈寿，我也不枉为人师。"

陈寿的到来，打破了学堂里死气沉沉的气氛，给学堂增添了无限生机。过去从来无人问津的堆在角落里的竹简，陈寿都一一搬来仔细阅读。

每天天不亮，陈寿就早早起床爬上山坡晨读，那清脆悦耳的读书声便响彻山谷，书声琅琅，十分动听。夜已深，老师、同学们早已进入梦乡了，可陈寿仍然独坐在屋檐下，举着点着的麻梗，如饥似渴地看着竹简、帛书。

一天晚上，他看书时打起了瞌睡，一不小心头发被烧着的麻梗点着了，痛得陈寿从梦中惊醒。于是，陈寿大受启发，从此他困倦难忍的时候，便用麻梗烧自己的头发，这样，他就可以彻夜不眠，一直学习到天明。

陈寿在谯周的学堂里苦学了五年，终于成为一位才华横溢、学识渊博的青年。这时他觉得，要想写史书，光靠读书还不行，还要仔细收集和整理资料。于是,他拜别了恩师,回到家乡,广泛地收集有关的史料,经过艰辛的拼搏,终于写出《三国志》,为中华民族光辉灿烂的古老文明史又增添了绚丽的一页。

人生箴言

少壮不努力,老大徒伤悲。

——汉乐府《长歌行》。

成长启示

青春年少时不努力,等年龄大了就只能徒然悲伤。

左思作赋,洛阳纸贵

晋武帝太康年间,发生了这样一件怪事:一时间京城洛阳纸张价格突然飞涨了起来,即使如此,纸张还是时常脱销,后来竟发展到有多少钱也买不到纸了。于是,人们不顾路途遥远,纷纷到外地购买纸张带回洛阳来。你不禁要问:这是怎么回事呢? 知道内情的人会告诉你:因为左思写了一篇令世人瞩目的《三都赋》,所以大家都在争相购买纸张进行传抄呢。

左思,字太冲,西晋临淄人。小时候很贪玩,学习成绩不理想。一天,望子成龙的爸爸左雍无奈地当着左思的面对朋友说:"这孩子没指望了,一天到晚只知道玩。"朋友劝慰道:"孩子尚小,大点儿就知道用心学习了。"爸爸苦笑道:"七岁看小,八岁看老,他都十岁了,却还不知道在学习上用心,哎!"

这话深深地刺伤了左思,他既惭愧又气愤,心想:您说我不成,我偏要学出个样儿让您瞧瞧,让您为拥有我这样的儿子而骄傲、自豪。

父亲的"激将法"果然奏效。从此,左思整日闭门读书。功夫不负有心人,由于左思刻苦努力,学业大有长进。几年后,他便写下《齐都赋》,文笔清新、流畅,用词准确、典雅,深受人们的赞赏。他没有满足现状,又仔细研读了汉朝班固写的《两都赋》,张衡写的《二京赋》。左思对这两篇很有名气的大赋他有自己独到的看法,认为他们的描写有些流于虚幻、缺乏事实根据。他决心学习前人,

134

超越前人,把三国时代的吴都建业、魏都邺城、蜀都成都合起来写篇《三都赋》。

为了写好这篇《三都赋》,左思千里迢迢地访问了在四川做过官的著作郎张载,虚心向他请教。不仅如此,他还亲历成都的山山水水,了解那里的风土人情,仔细研读地方志,查看地图并阅读大量有关书籍。整整十个年头呀!他不是出游察看现场,就是埋头于苦心创作之中。

为了集中精力写作,他谢绝一切来访,专心致志,边构思边写,从不轻易落笔,句句深思熟虑,字字都静下心来反复推敲,反复修改,力图做到真实、合乎历史与地理的实际。

为了将及时捕捉到的灵感记下来,左思在他的房间里、院落里,甚至厕所里都摆放上纸片、笔墨,一有所得就随手记下来。家宅庭院,满是他写的草稿纸,就这样,几年来,左思的脑子全被他的创作塞得满满的。

每每夜深人静之时,只有他的书房里还亮着灯,他时而奋笔疾书,时而伫立沉思……

时光流逝,左思日夜凝思苦想,人消瘦了许多,丝丝白发悄悄爬上了他的双鬓。十年磨一剑,他夜以继日,足足花了十年的心血,终于完成了《三都赋》。此时的左思也已由一个青年人变成为一个中年人了。

《三都赋》完成之后,立刻成为人们交口称赞的好文章。于是,出现了前面我们讲的画面:洛阳纸张价格飞涨……《三都赋》成为人们崇拜之作,许多名人对左思的《三都赋》都佩服得五体投地,纷纷传抄。从此,"洛阳纸贵"这个成语便一直流传下来,用以称誉著作风行一时,流传很广。

人生箴言

成长启示

不一小步一小步地累积起来,就不能达到千里远的地方;没有一条条小河汇聚在一起,就不能形成大江大海。

谈迁重写《国榷》

清朝初年,一片景色优美的竹林尽头有一间草房,一位半百老人正坐在窗前奋笔疾书,他正是谈迁。谈迁博学多才,二十几年如一日地潜心编撰明代编年体史书《国榷》,因此家境贫寒,生活拮据。一天,两个官兵奉知县之命找上门来,想聘请谈迁做文书,这可是人人垂涎的一个好差使,但谈迁却婉转地拒绝了。因为他觉得自己是明朝的遗民,怎么能为清朝做事呢?!

历时二十七年,《国榷》终于完稿了,谈迁将书稿宝贝似地锁进一只旧箱子,放在床边。当夜,他做了一个梦:《国榷》刊印出版了,大街小巷人手一册……但谈迁万万没有想到,就在他做着美梦的时候,一个窃贼摸了进来,误以为箱内有宝物,将箱子偷去了。

第二天一大早,谈迁见书稿被盗,嚎啕痛哭,几天几夜滴水不进。几天以后,谈迁突然精神振奋,斩钉截铁地说:"我要重写《国榷》!"于是,艰难的历程又重新开始了:他不远千里,四处寻找第一手的史料;遭人白眼,受尽屈辱,只为借大户人家的史书一读……有志者事竟成,几年以后,第二稿的《国榷》终于诞生了。但谈迁的脸上却没有丝毫的兴奋,更令人不解的是他竟然在自己的书稿上画了一个"×"。他的好友听说二稿完成了,特意上门道贺,谁知谈迁竟将书稿投进了火炉。好友目瞪口呆,实在弄不明白。

这时知县又派人前来请他出山了。原来知县久闻谈迁博学多才,一直想委以重任,这次他要进京做官了,再次想聘请谈迁为文书,随同进京。谁知谈迁一听,立即喜形于色,满口应允,还连说:"求之不得,求之不得!"

谈迁到了京城后,除了忙碌官府的文案外,还经常去郊外的一座山上。一天,寒风卷着雪花漫天飞舞,谈迁顶着风雪爬山,差点失足掉下崖去。他艰难地爬上山顶,叩开一座寺庙的大门,要见方丈,但却被挡在门外。风刮得更猛了,雪下得更大了,但谈迁却站在寺庙门口一动不动,很快变成了雪人,昏倒在地……

谈迁醒来的时候,已经躺在方丈的禅房里了。禅房里空无一人,谈迁下床来到书橱前,刚碰到经书,书橱突然转动,他急忙退后,书橱后出现一间密室,里面隐约透出一点微光。谈迁悄悄走进去,看见方丈正在一排明朝皇帝们的灵位面前打坐,原来他以前曾是明朝的重要官员。谈迁上前道:"我无意打扰大师的清净,只是明朝最后几十年,朝廷内忧外患,各种矛盾都很尖锐,记载史实的人因为立场不同,对史实的记录也五花八门。因此,只有亲身经历的人掌握的材料才最真实……"原来,谈迁来京城做官是为了更好地撰写《国榷》,因为他在写书的时候发现很多史料的记载有问题,想找有亲身经历的人当面谈谈,可这些人都住在京城,他那么穷,根本就没有路费,所以就随知县一同进京了……

人生箴言

家有千金之玉,不知治,犹之贫也。
——韩婴《韩诗外传》卷二。

🕊️ **成长启示**

> 家中虽然有价值千金的玉石,但不懂得雕刻琢磨,还是照样贫穷。

徐光启力传西学

明朝万历年间,徐光启还是一个"一心只读圣贤书"的少年。一天,他听说城里开了洋人教堂,而且还有一个洋教士,非常好奇,正要去看热闹,却被严厉的父亲撞到,无奈之中只好作罢。一次徐光启在河边散步,竟然巧遇那位传教士,他就是意大利人利玛窦。两人一见如故,谈得非常投机。就在这时,家仆找来,称有客人到访,让徐光启赶快回家,谈兴正浓的徐光启只好依依不舍地向利玛窦告别。他急急忙忙赶回家里,见来客原来是陶知县。陶知县与徐光启的父亲是故交,对徐光启十分疼爱。他一见徐光启,立即眉开眼笑、问长问短。徐光启很兴奋地说起利玛窦,谁知陶知县眉头一皱:"你年纪还小,不要听别人乱说!"徐父见状,大骂儿子不学无术,徐光启感到十分委屈。

但是徐光启依然偷偷地和利玛窦交往,并从他那里知道了很多闻所未闻的知识。徐光启登门拜访利玛窦时,对房间里的一只西洋钟非常着迷。利玛窦告诉他:"这叫'自鸣钟',是我从欧洲带来的。它每过一个小时，就会自动敲钟，一天一夜敲二十四次。"说完，便慷慨地将钟送给了他。不久，恰逢陶知县的寿辰，徐光启将西洋钟装在一个大盒子里，想给他一个惊喜。谁知陶知县一见西洋钟却大怒不止，斥责徐光启放着我们中国几千年文化不学，却热衷于西洋的歪门邪道。徐光启只好默默地离开了。

再大的阻力也没有迫使徐光启放弃对西洋科学的探索，他和利玛窦的交往反而更加密切了。但是，几个月后，徐光启京试高中榜首，要进京做官了。他与利玛窦依依惜别，利玛窦安慰他：有缘他日定能相见。果然，不久以后，利玛窦也来到京城，并且给徐光启带来了一份珍贵的礼物——《几何原本》。他告诉徐光启："这是一种伟大的理论，它可以训练人类的思维，可以开启人类的智慧，世界上很多一流的科学家，都是从这本书里受到教育和启发的，如果你们中国人读了它，一定会有更多、更伟大的发明诞生！可惜至今也没有人把它翻译成中文。"徐光启看着书中密密麻麻的拉丁文字，决定把它翻译成中文。从此，他和利玛窦开始了艰难的翻译工作。一年后，他们已经翻译了六卷。就在这时，一封家书捎来：徐光启的父亲去世了。他流着眼泪回老家奔丧，翻译工作只好暂时搁下。

徐光启办完丧事，正准备回京，陶知县却要他按老家的规矩，在坟前守孝三年。徐光启道出了自己的苦衷：利玛窦正等着自己回去继续翻译。陶知县一听，勃然大怒，强制他守孝。但是徐光启并没有消磨时光，他在坟边的一块农田里种植了一种国外传入的粮食作物——甘薯。此举再次遭到陶知县的极力反对，他甚至让人将甘薯的秧苗全拔了，但这却丝毫没有动摇徐光启的意志，他仍然坚持种植甘薯。

　　不久,江南一带遭受了虫灾,全村农田里的谷物都长满了害虫,灾情特别严重,眼看将颗粒无收了。村民们向官府求救,但陶知县也无计可施。就在这时,徐光启站了出来,对村民们说:"我种植了不少甘薯的秧苗,大家挖一些回去种,保证秋后有粮吃!"但他的建议却无人理睬。后来,村民们眼瞅着徐光启的秧苗长得郁郁葱葱后,慢慢地动心了,他们主动找上门来,央求徐光启提供秧苗。几个月后,甘薯大丰收,陶知县带着村民们登门道谢,人人脸上浮现出喜悦的笑容。

人生箴言

　　黄金未是宝,学问胜珠珍。

　　　　　　　　　　　　——王梵志《黄金未是宝》。

成长启示

　　学问远胜过黄金、珍珠,是最可宝贵的。

李时珍跋涉修《本草》

明朝嘉靖年间，年轻的李时珍背着药箱到处行医看病。一天，他在治病的过程中，发现一个病人服药后不仅不见起色，反而身中剧毒，差点丧命。他百思不得其解，最后终于发现药书《日华子本草》的记载有误：书中称一种草药名叫"漏篮子"，又名"虎掌"，其实漏篮子是草药，而虎掌则是毒草。李时珍在药方中开了漏篮子，但药铺却配了虎掌，所以才差点酿成大祸。李时珍恍然大悟，及时抢救，病人终于起死回生。就在这时，一个年轻人急匆匆跑来，语无伦次，原来他妻子怀孕后，服下了药书上记载的补药，却痛得呼天喊地。李时珍急忙赶到他家中，但还是晚了一步：年轻的孕妇已经死去。李时珍看着这惨痛的场面，不禁心如刀割，他决定自己撰写一本"本草"药书。

李时珍的父亲是一个经验丰富的老大夫，当得知儿子的决定后，坚决反对："修'本草'，这可是一项浩大而艰巨的工程，历代都是由朝廷皇室编修的。你必须一一查访全国各地出产的药物，需要花大量的人力、物力和财力。"但李时珍却矢志不渝。

十年后，李时珍的"本草"已经初具规模，但是他仍然有很多无法解答的困惑。父亲不露声色地说："只坐在书房里不会找到答案，应该到大自然中去探索、到实地去考察，才能明辨是非。"经过父亲的点拨，李时珍打点好行装便离开了家。

一天，李时珍在寻找草药的途中，发现了一个古怪的樵夫，他一边砍柴，一边唱着悲歌。当李时珍询问山中何处可以找到名贵药材"百莲"时，他流露出阴沉的目光，手指向深山老林。李时珍按照他的指点，向深山中进发，但行至一半，突然"呜——"地一声长啸，一只斑斓大老虎窜了出来。李时珍吓得腿脚直哆嗦，正要爬上树，老虎已经咬住了他的裤脚。就在这危急的时刻，树林中飞射出几支箭，老虎慌忙逃回山林。李时珍惊慌未定，几个猎人从林中走了出来。一个猎人问："这林子里藏有几只老虎，县衙贴了告示，严禁百姓进入林中，你怎么会到这里来的呢?"李时珍说起樵夫的指点，猎人们恍然大悟："他是存心想害死你啊!"原来一年前，这个樵夫全家得了风寒，大夫不仅没医好病，还把他儿子给医死了，妻子也半身瘫痪，痴痴呆呆。从此，他便对大夫充满了仇恨。

李时珍决定去樵夫家看看，便径直下山。令他喜出望外的是，下山途中，在一处悬崖边上发现了一棵千年古松，根部被一些灌木丛遮掩住，有几片黄色的叶子若隐若现，"万年黄!"李时珍惊喜得叫了起来。原来，这是一种非常稀罕的药材，千年难得一见，但是却隐藏在悬崖深处。他冒着生命危险，从悬崖峭壁上缠着藤萝荡下去，终于采到了"万年黄"。为了了解万年黄的药性，李时珍拣出一小片叶子放进嘴里，突然，他四肢抽搐、口不能言，仰天倒在地上，不省人事……第二天清晨，他苏醒过来，立即记下了药性：万年黄含有剧毒。李时珍好不容易找到了樵夫家，为樵夫妻子号了脉，一边说："有救了! 有救了!"一边拿出一小片万年黄给她服下。樵夫妻子的脸色和双腿渐渐发黑，一会儿又渐渐红润，慢慢地神志也正常了。樵夫看着眼前这生动的一幕，对李时珍充满了感激之情，而李时珍也通过这次难得的实践，初步掌握了万年黄的药性。

做/优秀的/自己

人生箴言

绪业不修者，不可以言理。

——《盐铁论·论诽》。

成长启示

事业没有成就的人，就不能谈得上治理。

禄东赞五解难题

唐朝,长安城(今陕西西安市)。宽阔的大道上正行进着一支队伍,旌旗飘扬,衣着鲜艳,引来无数围观的百姓,街道上好不热闹。几匹精壮的白马托动着好些个木箱,木箱没有封顶,人们可以看见里面装的是黄金千两、珍宝百件。围观的百姓"啧啧"称奇。原来,这是吐蕃赞普(王)松赞干布派使臣入唐求亲的车队路经此处。为首的年轻大臣便是吐蕃使臣禄东赞,他骑一匹高头大马,神采奕奕,气宇轩昂。车队一路行进,终于到了皇城。

皇宫内,唐太宗正为五国使臣进京求娶文成公主一事烦心。太宗说:"这五国都派了使臣而来,想要迎娶朕的文成公主;若是草率决定,有失大唐尊严,也会引起各国的非议,这……这该如何是好呢?"一大臣上前道:"皇上,臣有一计,不如来个'比文招亲',让五国使臣来解五道难题,谁获胜,谁就能为自己国家的君王迎娶到文成公主。这样,既可不失公允,又可使五国使臣心服口服。"太宗连声称好,立即让大臣们拟定考题。

第二天,五国使臣上殿拜见太宗时,迎来了第一道考题——"九曲穿丝"。九曲明珠内"九曲八弯",虽然两端有孔,但若想穿线入孔,实属不易,该怎样将丝线穿入珠中呢?

禄东赞目不转睛地望着明珠,沉思着。突然,他看见了地上的小蚂蚁,心生一计。禄东赞用马鬃拴住蚂蚁的腰部,轻轻吹了口气,蚂蚁便乖乖地爬进了珠孔;待它从另一端爬出来时,禄东赞赶忙用丝线接住马鬃,轻轻一拉,丝线便穿入了孔中。

紧接着,第二道考题出现了。只见殿外两边的马厩内各拴着一百匹母马和小马,谁能将每匹小马准确无误地送到它自己的母亲身边呢?那四国使臣傻了眼,惟有禄东赞胸有成竹地向太宗请示道:"陛下,禄东赞斗胆,请陛下同意将这些小马饿上一天。"太宗疑惑地点了点头。

第三天清晨,天还未大亮,太宗便兴致勃勃地出现在马厩旁。禄东赞解开了拴住小马的木栏门,将小马放出马厩,只见饥饿的小马驹们一刻也不耽搁,立即奔向自己的母亲,有滋有味地吮起乳来。太宗见此情景,不由连连称赞。

两道题考过后,使臣们各自回驿馆休息。当禄东赞正在驿馆房间内挑灯夜读时,忽听外面一阵喧哗。原来是宦官前来传达皇上旨意,让各国使臣连夜进宫晋见。禄东赞觉得事有蹊跷,派人准备了一小袋青稞面,一路留下记号,以便原路返回。

五国使臣终于到达了皇宫,个个气喘吁吁、疲惫不堪。正在这时,传话的宦官又出现了。"皇上让在下传个话,今日夜已深,请大家即刻回各自的驿馆休息。"那宦官笑眯眯地说道,众使臣一片哗然。原来这就是太宗所出的第三道考题:谁能在完全陌生而没有别人帮助的情况下,独自回到各自的驿馆,先到者获胜。众人都在后悔进宫时没有留下记号,只有禄东赞不慌不忙地沿着路上撒的青稞面标记,第一个回到了自己的驿馆。

第四天,在金銮殿上,各国使臣们"一决雌雄"的时刻终于到了。太宗请出了大唐史官,并让五国使臣各提一个有关历史的问题,谁的问题能将史官难倒,谁就完成了第四道考题。

使臣们各显神通,有问"中华文明之开山始祖"的;有问"张骞通西域之贡献"的;有问"祖冲之之成就"的;更有甚者,居然问"关公为何短命?"史官不紧不慢,对答如流。四国使者一一败下阵来,只剩禄东赞一人了。

只见他从容不迫地上前问道:"大人,您博学多才,我无论如何是难不倒您的。现在我只向您提一个问题,请您告诉我——我应该向您提出什么问题,您才答不出来呢?""这……"自信博学的史官突然间愣住了,不知该回答什么好,只能低头认输。

太宗对着五位使臣正色道:"各国使臣,朕所出的五道难题中已经解出了四道,现在只剩下最后一道,请大家务必全力以赴,不要失去最后的机会。"此时,大殿上突然出现了一群公主打扮的女子,人人年轻貌美,个个衣着相同,乍一眼看去,几乎是一模一样的。这最后一道考题便是:到底谁是真正的文成公主?

禄东赞凝神片刻,突然大叫一声:"我认出来了,公主头上有朵红云!"太宗顿时一愣:"文成公主头上有朵红云,朕怎么不知道?"他一边想一边朝公主望去,那些假扮公主的宫女也纷纷向公主望去。文成公主更是吃了一惊,抬头朝自己头上望去。禄东赞看得真切,便大步上前,跪在文成公主身前,高呼:"吐蕃使臣禄东赞拜见公主!"

太宗见此情景,当即将文成公主正式许配给吐蕃赞普——松赞干布。禄东赞下跪谢恩,太宗满脸欢笑,文成公主也笑意盈盈,各国使臣连声称赞,大殿上一片欢腾。

做/优秀的/自己

人生箴言

业精于勤荒于嬉,行成于思毁于随。

——韩愈《进学解》。

成长启示

    业务因为勤奋学习而达至精通,因为漫不经心而荒废;做事情因为会思考而成功,因为不加辨别地随俗而失败。

一曝十寒和专心致志

战国时期,齐国的国君齐宣王田辟疆,为人好大喜功而又目光短浅,所以他治理国家,在重大问题上常常出差错。比方说吧,北方的邻国燕国,相国子之耍弄阴谋诡计夺取了王位,全国上下都非常不满,国内大乱。齐宣王声言讨伐子之,派兵进攻燕国,燕国百姓纷纷出迎,才只五十多天的工夫,齐军就攻占了燕国全境。齐宣王违背了他当初援助燕国平乱的宣言,一心想吞并燕国,下令齐军赖着不走,以致引起燕国人民的反对,列国诸侯也动了公愤,酝酿组织联军来对付齐国。这时齐宣王才迫不得已狼狈地撤军。因为齐宣王有许多措施都不得当,所以在国内也引起了不满,甚至产生了一种议论,认为齐王的资质不够聪明。当时孟子正在齐国担任客卿,议论的人就连孟子一并责怪起来,说孟子对齐王辅佐不力。

有人把这些情况向孟子说了,并问他对这些事怎么看。孟子作了很巧妙的回答。他说:"无惑不乎王之不智也。虽有天下易生之物也,一日暴之,十日寒之,未有能生者也。吾见亦罕矣。吾退而寒之者至矣,吾如有萌焉何哉?今夫弈之数,小数也,不专心致志,则不得也。弈秋,通国之善弈者也。使奕使诲二人弈,其一人专心致志,惟弈秋之为听。一人虽听之,一心以为有鸿鹄将至,思援弓缴而射之,虽与之俱学,弗若之矣。为是其智弗若欤?曰:'非然也'。"

这番话的意思是说:不要对大王的不明智感到奇怪。即使有天下最容易成活、生长的植物,如果让它曝晒一天,接着让它冷冻十天,决没有哪一个能够活得成的。我能见大王的面已经很少了,我一离开,那些使他冷冻的人就来到大王的身边了,我能奈何那些邪行歪道吗?现在来说下棋这种技艺吧,虽说是种小技艺,如果不专心致志地学,就学不会。弈秋,是全国著名的下棋高手,让弈秋教两个人下棋,其中一个人专心致志,只听弈秋的讲解。另一个人虽然表面上也在听讲解,可是一门心思只在幻想将有天鹅会飞来,考虑如何拿弓箭射它,虽然和他的同学一起学棋,却比不上他的同学了。是因为他的智力不及他的同学吗?我说,不是这样的。

人生箴言

夫志当存高远,慕先贤,绝情欲,弃凝滞,使庶几之志,揭然有所存,恻然有所感。

——诸葛亮《诫外生书》。

成长启示

　　立志应当立得高远,思慕先贤,克制自己的情欲,弃除内心不好的想法,使高尚的志向在心中明确地树立起来,深深地引起内心情感上的激动。